Barockstadt DRESDEN und das Elbtal
Dresden and the Elbe valley
Dresde et la valleé de l'Elbe

DIE BAROCKSTADT DRESDEN

DRESDEN NEUSTADT

DIE ELBSCHLÖSSER ENTLANG DER ELBHÄNGE

DAS ELBTAL – von Meißen bis zum Elbsandsteingebirge

Christine Gräfin von Brühl

BAROCKSTADT DRESDEN und das Elbtal

ZVP ZIETHEN-PANORAMA VERLAG

Christine Gräfin von Brühl

Dresden und das Elbtal

Breit und gemächlich fließt die Elbe, schlägt große Bögen, fast Halbkreise ins Land, bevor sie Meißen und das nördliche Flachland bei Riesa erreicht. In einem der Bögen befindet sich Dresden, zumindest das Zentrum der strahlenden Barockmetropole, denn längst hat die Stadt sich unermesslich weit ausgebreitet. Nicht nur das Flussufer entlang ziehen sich Häuser und Straßenzüge, auch die Hänge hinauf klettern prächtige Villenviertel und zahlreiche Gärten. Das Herz der Stadt schlägt jedoch zwischen Carola- und Marienbrücke. Hier stehen das Schloss, die Kathedrale und die Semperoper. Hier vereinigt die Brühlsche Terrasse mit Sekundogenitur, Hochschule für Bildende Künste und Albertinum die barocke Stadtkulisse zu einem großen Ganzen. Von der Terrasse blickt man ins Elbtal und hinüber zur Neustadt, großzügig wirkt die urbane Struktur, denn unmittelbar am Ufer der Elbe ist jegliche Bebauung untersagt. Mit dem Wiederaufbau der Frauenkirche wurde der Stadt Dresden ein einzigartiges Kulturdenkmal und Meisterwerk der barocken Baukunst wiedergegeben; somit ist das Stadtbild und Elbpanorama komplettiert. Großflächige Auen schmücken den träge dahingleitenden Strom und geben Raum für ausgedehnte Spaziergänge, Fahrradfahrten oder zum Drachensteigen.

Die Nähe zum Wasser, die heute wesentlich zur Schönheit Dresdens beiträgt, war für die ersten Siedler im Elbland eine Sorge. Sie bewohnten die Höhenzüge. Spuren aus der Bronzezeit und besonders aus der Zeit der Lausitzer Kultur (ab 1400 v. Chr.) zeigen, dass die Besiedlung zu beiden Seiten des Flusses an der 1845 festgestellten Hochwassergrenze endet. Um 600 nahmen slawische Stämme das Gebiet an der Elbe in Besitz, was Deutschlands König Heinrich I. zu verhindern suchte: Er baute 929 die Burg von Meißen und setzte einen Burgwart ein, der Zins und Zinseszins einzutreiben hatte. In der Mark Meißen tauchten im 11. Jahrhundert eine Reihe von Dorfnamen auf, die den Kern späterer Vororte und heutiger Stadtteile Dresdens bilden: Löbtau, Dölzschen, Leubnitz, Strehlen, Reick und Lockwitz. Mitte des 12. Jahrhunderts

Dresden and the Elbe valley

The Elbe, broad and unhurried, flows through the countryside in large sweeping movements before it reaches Meissen and the northern plain near Riesa. In one of the bends lies Dresden, or at least the centre of this glorious baroque metropolis, for the city has long spread its bounds far beyond. The houses and streets not only line the river, but magnificent villas and gardens also cover the hillsides. The heart of the city beats in the area between the Carola Bridge and the the Marien Bridge. This is where the Castle, the Cathedral and the Semper Opera are to be found. Brühl Terrace, University of Arts and Albertinum unite to form a magnificent whole. With the reconstruction of the Chruch of Our Lady the city Dresden was a singular cultural monument and masterpiece of the baroque architecture again, thus the townscape and Elbepanorama are completed. The view from the Terrace is grand and spacious: There is a building ban on the whole area bordering the Elbe, the river flows smoothly through extensive watermeadows where people can walk, ride their bicycles or fly kites. In good weather you can see as far as the Elbe sandstone mountains.

The proximity of the water, now one of the main attractions of Dresden, was a source of worry to the first settlers. They settled the heights. Evidence from the Bronze Age and from the period of the so-called Lausitz Civilisation (from 1400 BC) show that settlement reached no further down than the highwater mark established in 1845. In about the year 600, Slav tribes occupied the Elbe region, something the German King Henry I tried to prevent: In 929 he built Meissen Castle and installed one of his followers as a taxcollector. In 11th century records a number of villages are first mentioned which later grew into suburbs and are now areas of Dresden: Löbtau, Dölzschen, Leubnitz, Strehlen, Reick and Lockwitz. In the middle of the 12thcentury German peasants from Thuringia and Franconia flooded into the area and settled. They were given generous conditions of tenancy and, in contrast to the Slavs, were allowed to retain their personal freedom. At about the same time,

Dresde et la vallée de l'Elbe

L'Elbe, large et nonchalante, dessine de grandes courbes, presque des demi-cercles à travers le paysage, avant d'atteindre la plaine de Meissen et de Riesa. Seul le centre de Dresde, métropole du baroque flamboyant, se trouve au bord du fleuve majestueux, la ville s'étant beaucoup étendue au cours des siècles. Les maisons et les rues ne s'alignent pas seulement le long des rives du fleuve, des quartiers résidentiels et de nombreux jardins grimpent le long des collines. Cependant le cœur de la ville bat entre la Carolabrücke et la Marienbrücke. On y trouve le Palais, la Hofkirche catholique et l'Opéra Semper, qui forment avec la Terrasse de Brühl, Université des Arts et l'Albertinum le vrai cœur de la ville historique. Avec la reconstruction de la Frauenkirche, Dresde a doté de nouveau la physionomie de la ville d'un monument culturel, un chef-d'œuvre unique de l'art baroque, qui complète à merveille le panorama sur l'Elbe. Le fleuve coule paresseusement entre de vastes pelouses qui invitent à la promenade à pied ou à bicyclette. Par beau temps, la vue depuis la Terrasse de Brühl s'étend jusqu'aux monts de grès qui dominent la vallée de l'Elbe.

La proximité de l'eau, qui aujourd'hui contribue particulièrement à la beauté de Dresde, était pour les premiers colons de la région une préoccupation. Comme le montrent les traces de l'ère du Bronze et surtout de l'époque de la culture Lusace (Lausitzer Kultur – à partir de 1400 av. J.C.), les habitations se trouvaient sur les hauteurs à cause des risques d'inondation. Vers 600 des tribus slaves prirent possession de la région de l'Elbe, ce que le roi de Allmand Henri Ier tenta d'empêcher. Il construisit en 929 le château de Meissen et y installa quelques-uns de ses hommes chargés de récolter les impôts. Aux alentours apparurent au cours du XIe siècle des villages dont Dresde et sa banlieue portent encore aujourd'hui les noms: Löbtau, Dölzschen, Leubnitz, Strehlen, Reick et Lockwitz. Au milieu du XIIe siècle, des paysans allemands de la Thuringe et de la Franconie arrivèrent dans la région et s'y établirent avec des fermages avantageux. Ils jouissaient, contrairement à leurs voisins slaves, de plus de libertés.

strömten deutsche Bauern aus Thüringen und Franken ins Land und siedelten zu günstigen Pachtverhältnissen, behielten aber im Gegensatz zu den slawischen Nachbarn ihre persönlichen Freiheiten. Etwa zeitgleich fiel die Gegend an die Markgrafen von Wettin, die in den folgenden Jahrhunderten zu mächtigen Kurfürsten aufstiegen. Das kleine Dorf Drezdzany, zu diesem Zeitpunkt nichts anderes als Ausgangspunkt eines Elbüberganges, gewann erst an Bedeutung, als im Gebiet um Freiberg Silber gefunden wurde. Jetzt hatte man den Elbübergang bitter nötig, und schon 1206 trug die Siedlung Dresden die Bezeichnung Stadt. Förderlich für ihren raschen Ausbau war eine markgräfliche Burg etwa dort, in der Nähe des heutigen Theaterplatzes. 1287 entstand eine feste Elbbrücke und 1455 erhielt Dresden das Niederlagerecht für Waren, womit es Pirna überflügelte, den bisherigen Stapelplatz für Elbhandel.

Nach der Teilung des wettinischen Grundbesitzes 1485 ließen sich die Albertiner in Dresden nieder und die Stadt wurde fürstliche Residenzstadt. Von nun an war ihr Aufstieg unaufhaltsam. 1547 erwarb Herzog Moritz die Kurwürde, und in Verbindung mit beziehungsweiser Abhängigkeit vom fürstlichen Hof entwickelte sich Dresdens Wirtschaft entscheidend. Die Zahl der Handwerkerinnungen wuchs auf 47, am Unterlauf der Weißeritz entstanden Mühlen für Getreide, Papier, Draht und das Polieren von Harnischen, 1582 sogar eine Eisenschmelzhütte. Den Aufschwung begleitete eine erste Blüteperiode der Renaissance: Am Schloss entstand der Georgenbau, östlich davon der Stallhof und an der Stelle des heutigen Albertinums das Zeughaus. 1560 richtete Kurfürst August im Dachgeschoss des Schlosses eine Kunstkammer ein, die den Grundstock für die heute so berühmten Kunstsammlungen bildet. Bis in die Barockzeit fügte jede Kurfürstengeneration der Kammer neue Kunstwerke ihrer Zeit hinzu. August der Starke machte daraus sein berühmtes „Grünes Gewölbe", ein Museum, dessen Exponate nicht nur den Herrscher selbst vergnügten, sondern auch seine Machtentfaltung und Souveränität nach außen tragen sollten.

the area was taken over by the Counts of Wettin, who in the course of the centuries that followed became powerful electors. The little village of Drezdzany, at the time nothing more than a crossing point over the Elbe, gained in importance when silver was discovered in the area around Freiberg. The crossing point was desperately needed now, and as early as 1206 the settlement of Dresden was already called a town. Its rapid growth was aided by a margrave's castle, built on the spot where the Theatre Square is today. In 1287 a solid bridge was built and in 1455 Dresden was given warehouse rights. It thus outstripped Pirna, the former depot and centre for Elbe trade.

After the Wettiner territories were divided in 1485, the Albertines settled in Dresden and the town became the seat of a ducal residence. From now on Dresden's growth was unstoppable. In 1547 Duke Moritz acquired the electorate, and in connection with or rather through its dependence on the ducal court Dresden's economy surged. The number of artisans' guilds rose to 47; on the lower reaches of the Weisseritz mills were constructed for corn, paper, wire and polishing armour, and in 1582 even an iron-smelting works was established. This economic growth was accompanied by a first flowering of the Renaissance: On the castle grounds the Georgenbau, stables (to the east of it) and arsenal (on the site of the present Albertinum) were built. In 1560 Elector August set up an art gallery on the top floor of the castle, the basis of the famous art collections of today. Right up to the baroque period, each generation of electors added new works of art to the collection from his period. August the Strong created his famous "Green Vault", a museum whose exhibits were not just for his own pleasure but also intended to be a demonstration of his power and sovereignty.

In the period of August the Strong and his son August III Dresden had its golden age and grew into one of the finest cities of the land. August the Strong acquired the Polish royal crown, just to increase his prestige,

À peu près à la même période, la région revint aux comtes de Wettin, qui devinrent aux siècles suivants de puissants princes-électeurs. Le petit village de Drezdzany – à cette époque rien d'autre qu'un gué de l'Elbe – prit de l'importance lorsque l'on découvrit des felons dé l'argent dans la région de Freiberg. Dès lors, on avait vraiment besoin d'un passage sur l'Elbe et en 1206 Dresde prit la dénomination de ville. Un château margrave, situé à peu près à l'emplacement de l'actuel théâtre, favorisa son extension rapide. En 1287, on construisit un pont sur l'Elbe et en 1455 Dresde reçut le droit d'entrepôt pour les marchandises, supplantant ainsi Pirna, l'ancien lieu de stockage.

Après le partage des terres des comtes de Wettin en 1485, les Albertiners s'établirent à Dresde et la ville devint résidence princière. Dès lors, son ascension fut irrésistible. En 1547, le duc Moritz accèda au rang de prince-électeur et en relation avec -ou plutôt sous la dépendance de la cour princière- l'économie de Dresde connut un essor considérable. Le nombre des corporations d'artisans augmenta nettement; en aval de la Weisseritz, on bâtit des moulins pour les céréales, le papier, le fil de fer et le polissage des armures et même une fonderie en 1582. Lors de cet essor économique, on construisit de nombreux édifices dans le style Renaissance: le Georgenbau à côté du palais, le Stallhof à l'est de celui-ci et le Zeughaus à l'emplacement de l'actuel Albertinum. En 1560, le prince-électeur Auguste aménagea dans les combles du palais un petit musée, constituant le fond des collections d'art si célèbres aujourd'hui. Jusqu'à l'époque baroque, chaque génération de princes-électeurs ajouta à ce musée de nouvelles œuvres d'art. Auguste le Fort en fit un musée (« Grünes Gewölbe »), destiné à montrer sa puissance et sa souveraineté.

À l'époque d'Auguste le Fort et de son fils, Auguste III, Dresde vécut son âge d'or et devint une des plus belles villes d'Allemagne. Auguste le Fort acquit, pour accroître son prestige, la couronne royale polonaise et la ville avança au rang de capitale européenne.

In der Zeit August des Starken und seines Sohnes August III. erlebte Dresden sein goldenes Zeitalter und entwickelte sich zu einer der schönsten Städte des Landes. August der Starke erwarb, allein um sein Ansehen zu vergrößern, die polnische Königskrone, und die Stadt rückte in den Rang einer europäischen Hauptstadt auf. Voraussetzung für die Krönung zum polnischen König war der Übertritt zum Katholizismus, was zur Folge hatte, dass die sächsischen Herrscher katholisch waren, während die Mehrheit der Bevölkerung Sachsens evangelisch blieb. Im Zentrum der Stadt entstand die Katholische Hofkirche mit dem später entstandenen Verbindungsgang zum Schloss. Die großzügige Hofhaltung von August dem Starken und eine gesteigerte Bautätigkeit sowie die Verbindung zu Polen förderten die wirtschaftliche Entwicklung von Stadt und Land. Andererseits verwickelten seine ehrgeizigen außenpolitischen Ziele Sachsen in kriegerische Abenteuer, die für die Bevölkerung keineswegs immer glimpflich abliefen. Im augustäischen Zeitalter entstanden ausgedehnte Gärten und Schloss Pillnitz, der Schlosspark in Großsedlitz, zudem das Japanische Palais, die Dreikönigskirche auf der Neustädter Seite und der „Goldene Reiter", nicht zuletzt der Zwinger und das Taschenbergpalais von Matthäus Daniel Pöppelmann. Die Stadt zog Künstler aus vielen Teilen Europas an. In Meißen entstand die Porzellanmanufaktur. Gegen den höfischen Barock grenzte sich allein die im Auftrag der Bürgerschaft entstandene Frauenkirche ab, erbaut von Ratszimmermeister George Bähr.

Ihr silbernes Zeitalter erlebte die Stadt Dresden im 19. Jahrhundert. Hier trafen sich Maler, Bildhauer, Literaten und Musiker als wichtigste Vertreter der Frühromantik. Durch die Tätigkeit von Carl Maria von Weber als Hofkapellmeister rückte Dresden in die erste Reihe deutscher Musikstädte. 1843 übernahm Richard Wagner das Amt, 1844-50 lebten Robert und Clara Schumann in der Stadt. Zu den bedeutendsten Neubauten gehören das Hoftheater auf dem Theaterplatz (1838-41) und die Sempergalerie (1847-54).

and the city advanced to a European capital. A precondition for his accession to the Polish crown was conversion to Catholicism, which resulted in the fact that the Saxon rulers were Catholic while the majority of the population remained Protestant. In the city centre the Catholic Cathedral was built with its extravagantly decorated connecting passageway to the castle. August the Strong held court generously. This, together with the increased building activity and the Polish links encouraged the economic growth of city and state. However, ambitious foreign policy decisions got Saxony entangled in military escapades that by no means always ended happily for the population. During the reign of the various Augusts extensive gardens and splendid baroque buildings were constructed: the Grosser Garten, the Palace Parks in Pillnitz and Grosssedlitz, the Japanese Palace, the Epiphany Church, the "Golden Horseman" and last but not least the Zwinger and the Taschenberg Palace by Matthäus Daniel Pöppelmann. The city drew artists, master craftsmen and architects from all over Europe. The manufacture of porcelain was established in Meissen. The only edifice contrasting with the courtly baroque buildings was the Church of Our Lady built for the citizens by municipal master carpenter George Bähr.

Dresden had its silver age in the 19th century, when painters, sculptors, men of letters and musicians congregated here, the most important representatives of early Romanticism. Through the activities of Carl Maria von Weber as director of court music, Dresden became one of the foremost cities in Germany for music. In 1843 Richard Wagner took over the position. From 1844 to 1850 Robert and Clara Schumann lived here. The most important new buildings were the Royal Theatre on the Theatre Square (1838-41) and the Semper Gallery (1847-54). Caspar David Friedrich became a teacher at the academy in 1816 and Ludwig Richter impressed with his contemplative paintings. Later, painters and architects formed the expressionist group "The Bridge". Heinrich von Kleist wrote his novella "Michael Kohlhaas" here, E.T.A. Hoffmann the fairytale

La condition pour être couronné roi de Pologne était la conversion au catholicisme – les souverains saxons devenant alors catholiques – tandis que la majorité du peuple restait protestante. Au centre de la ville fut érigée la Hofkirche catholique reliée au Palais par un passage richement décoré. La générosité d'Auguste le Fort et ses liens étroits avec la Pologne favorisèrent le développement économique de la ville et de la Saxe. Par ailleurs, des visées ambitieuses en matière de politique extérieure entraînèrent la Saxe dans des aventures guerrières qui ne se terminèrent pas toujours sans dommage pour le peuple. À l'époque d'Auguste, on créa de vastes jardins, comme le parc du château Pillnitz, ainsi que le palais japonais, l'église Dreikönig du côté de Neustadt et le Goldene Reiter, sans oublier le Zwinger et le palais Taschenberg construit pas Matthäus Daniel Pöppelmann. À Meissen fut créée la manufacture de porcelaines. Le seul édifice qui se démarque du style baroque en vogue à la cour est la Frauenkirche, construite par George Bähr à l'initiative des bourgeois de la ville.

La ville de Dresde connut un nouvel essor culturel au XIXe siècle. Peintres, sculpteurs, hommes de lettres et musiciens les plus représentatifs du préromantisme s'y retrouvaient. Grâce à Carl Maria von Weber, chef d'orchestre à la cour, Dresde acquit une grande renommée musicale. En 1843 Richard Wagner lui succéda et de 1844 à 1850 Robert et Clara Schuman s'y installèrent. Le Théâtre royal sur la place du théâtre (1838-1841) et la galerie Semper (1847-1854) sont les nouvelles constructions les plus remarquables. Caspar David Friedrich devint en 1816 professeur à l'Académie et Ludwig Richter séduisit avec ses tableaux contemplatifs. Plus tard peintres et architectes y formèrent l'école artistique expressionniste « Die Brücke ». Heinrich von Kleist y écrivit « Michael Kohlhaas » et E.T.A. Hoffmann son conte « Le vase d'or ». L'auteur dramatique norvégien Henrik Ibsen, ainsi que Dostoïevski vécurent quelque temps à Dresde.

Caspar David Friedrich war 1816 Lehrer an der Akademie und Ludwig Richter bestach durch seine beschaulichen Bilder. Später fanden sich hier Maler und Architekten zur expressionistischen Künstlergruppe „Die Brücke" zusammen. Heinrich von Kleist schrieb seine Erzählung „Michael Kohlhaas", E.T.A. Hoffmann das Märchen „Der goldne Topf". Der norwegische Dramatiker Henrik Ibsen lebte eine Zeit lang in Dresden, ebenso der russische Erzähler Dostojewski. Gleichzeitig prosperierte Dresden wirtschaftlich. Mit der Gründung der Sächsisch-Böhmischen Dampfschifffahrtsgesellschaft (1837) wurde die Elbeschifffahrt ausgebaut. Die erste Eisenbahnstrecke nach Leipzig (1839) verband Dresden enger mit den wirtschaftlichen Zentren des Landes. Einige Unternehmen verhalfen der Stadt zu wirtschaftlicher Bedeutung auf lange Sicht.

Im Herbst 1918 mehrten sich in Dresden Kundgebungen gegen Krieg und Monarchie. Anfang November wurde die Regierung abgesetzt und der sächsische König dankte mit den berühmten Worten ab: „Macht Euren Dregg alleene". Ein Staatsgrundgesetz regelte die Arbeit der neuen Regierung und die sächsische Verfassung von 1920 bezeichnete das Land als „Freistaat".

Während des Zweiten Weltkrieges war Dresden eine Oase des Friedens. Geschäfte blieben geöffnet, urbanes Leben wurde gepflegt, ja ein fast funktionierendes Kulturleben fand statt. Anfang 1945 füllte sich die Stadt mit Flüchtlingen, Schulen wurden in Lazarette verwandelt, im Hauptbahnhof lagerten versprengte Soldaten. Militärischen Schutz gab es kaum. Die NS-Führung hoffte, die Alliierten würden die Kunststadt schonen. Doch sie irrten sich; der 13. Februar ging als Schwarzer Tag in die Annalen der Dresdner Stadtgeschichte ein. In einem großflächig angelegten und planmäßig durchgeführten Bombenangriff wurde die herrliche Barockstadt in wenigen Stunden zirka drei Monate vor Kriegsende dem Erdboden gleichgemacht. 35.000 Menschen kamen in dem Flammenmeer ums Leben. Die Innenstadt wurde zu 85 Prozent zerstört.

"Der Goldne Topf". The Norwegian poet and writer Henrik Ibsen lived in Dresden for a period, as did the Russian Dostoyevsky.

Simultaneously Dresden prospered economically. With the foundation of the Saxon-Bohemian steamship company (1837) shipping on the Elbe was intensified. The first railway line to Leipzig (1839) helped link Dresden to the other economic centres. A number of companies contributed to the city's long-term economic prosperity: the typewriter factory Seidel and Naumann (1869), the camera factory Ernemann (1889), the Lingner Works known for their mouthwash "Odol" (1888) and Laferne (1862), Germany's first cigarette manufacturer. In 1909 the owner built its own monument with the tobacco exchange Yenidze. The Dresdner Bank was founded in 1872. In Striesen, Blasewitz, Loschwitz, Weisser Hirsch and Äussere Neustadt large residential areas grew up with fine villas.

During the Second World War Dresden was an oasis of peace. The shops remained open, city life continued to flourish, there was even an almost uninterrupted cultural programme. At the beginning of 1945 the city began to fill with refugees, schools were turned into field hospitals, dispersed soldiers camped out in the main station. There was little military protection. The Nazi leadership hoped the Allies would save the city and its art. But they were mistaken, 13th February entered the annals of Dresden's history as a black day. In a large-scale attack, deliberately planned and executed, the magnificent baroque city was razed to the ground in a matter of hours, just a few months before the end of the war. 35,000 people died in the flames. 85 percent of the city centre were destroyed. Only the dome of the Church of Our Lady rose up out of the ruins, as if in defiance. But the next morning it too had to surrender to the firestorm that raged through the city. The great heat caused the sandstone to disintegrate and the church was reduced to rubble. During reconstruction, which was to make Dresden a fine new socialist city, a new look was given to Dresden.

À la même époque l'économie de Dresde prospère: fondation de la compagnie maritime de Saxe et de Bohème (1837) et construction d'une ligne de chemin de fer reliant Dresde à Leipzig (1839), création de nombreuses entreprises et en 1872 fondation de la Dresdner Bank. Au nord-est s'établissent de vastes quartiers résidentiels.

À l'automne 1918, les manifestations contre la guerre et la monarchie se multiplient à Dresde. Début novembre, le gouvernement est destitué et le roi de Saxe abdique. Pendant la Deuxième Guerre mondiale, Dresde est une oasis de paix. Les magasins restent ouverts et la vie culturelle continue presque comme avant. Au début de 1945 la ville se remplit de réfugiés, les écoles sont transformées en hôpitaux, dans la gare centrale campent des soldats. La protection militaire est pratiquement inexistante. Le commandement nazi espérait que les alliés épargneraient la ville d'art. Mais ils se trompaient et le 13 février 1945 est resté comme un jour de malheur dans les annales de la ville. Au cours de cet effroyable bombardement la splendide ville baroque est rasée en quelques heures, environ trois mois avant la fin de la guerre. 35 000 personnes périssent dans les flammes et le centre ville est détruit à 85%. Seule la coupole de la Frauenkirche reste intacte. Cependant, le lendemain matin, elle aussi succombe à la tempête de feu qui fait rage sur la ville. À cause de la trop forte chaleur, le grès s'effrite et l'église est réduite en cendres. Au cours de la reconstruction qui doit faire de Dresde une métropole socialiste, la ville prend un nouveau visage. Elle devient l'un des 14 centres régionaux de la RDA. Sa destruction n'a pas nui à sa réputation de ville d'art.

Avec la réunification en 1989, une seconde étape de reconstruction a débuté. Outre de multiples travaux de rénovation et de restauration des façades, les ponts et de nombreux bâtiments sont remis en état.

Wie zum Trotz erhob sich aus dem Trümmermeer nur noch die Kuppel der Frauenkirche. Am nächsten Morgen jedoch erlag auch sie dem Feuersturm, der über die Stadt hinwegraste. Durch die Überhitzung brach der Sandstein in sich zusammen und die Kirche versank in Schutt und Asche. Im Zuge des Wiederaufbaus, der aus Dresden eine großzügig angelegte sozialistische Großstadt machen sollte, erhielt die Stadt ein neues Gesicht. Sie wurde eine von 14 Bezirksstädten der DDR. Die großflächig angelegte Zerstörung hat der Verehrung, die die Stadt in Kunst und Literatur nachhaltig erfährt, keinen Abbruch getan. Jetzt ist es die Wiedererstandene, die neu Erstarkte, die Unzerstörbare.

Mit der Wende ist eine zweite Etappe des Wiederaufbaus eingetreten. Abgesehen von mannigfaltigen Renovierungs- und Restaurierungsarbeiten an Fassaden, Brücken, Dächern und Innenräumen werden zahlreiche Bauten komplett neu in Stand gesetzt. Mit Perfektionismus und Akribie wird jeder Schritt bei der Rekonstruktion des Dresdner Schlosses geplant. Alle Epochen der Baugeschichte sollen sichtbar gemacht werden. Vom Taschenbergpalais blieben nach dem Krieg nur die Außenmauern stehen. Mit unermesslich großem Aufwand wurde es renoviert und birgt nun ein elegantes Hotel. Die Spenden, die zum Aufbau der Frauenkirche nötig waren, erhielt die Fördergesellschaft aus dem In- und Ausland.

Dresden wird immer schöner, schon heute steht die Stadt an dritter Stelle in der Skala jener Orte, in denen die Deutschen am liebsten leben würden, wenn sie das Rentenalter erreicht haben. Der Strom von Touristen aus aller Herren Länder in die Metropole Sachsens reißt nicht ab. Es ist eine Stadt mit kulturellem Flair und man spürt den Glanz des einstigen königlichen Regierungssitzes. Als Bewohner und Besucher der Stadt atmet man den Hauch dieser großartigen Vergangenheit und genießt die Atmosphäre.

It became one of 14 regional cities of the German Democratic Republic. The extensive destruction did not permanently damage the city's reputation as a centre of the arts and literature. Now it is the Resurrected, the Strengthened, the Indestructible.

With reunification a new stage of reconstruction was ushered in. Alongside the widespread renovation work going on on individual facades, bridges, roofs and interiors, whole buildings were being restored. The reconstruction of Dresden Castle was planned in minute detail, with a painstaking perfectionism. All architectural periods were to be made visible. Only the outer walls of the Taschenberg Palace behind it remained at the end of the war. It was restored at immeasureable expense and has been turned into an elegant hotel. The donations necessary for the reconstruction of the Church of Our Lady were coming from countless private individuals.

Dresden is getting more and more beautiful. It is today already the third most popular place Germans would like to retire to. That is nevertheless surprising, and one wonders what it is about Dresden that is so special. What is its secret? Why are the old run-down villas in the Weisser Hirsch area or the once so magnificent houses in the Äussere Neustadt so much in demand? Why is there no end to the tourists flocking in to Saxony's capital from all over the world? Dresden is beautiful, and those parts that are less so profit from the projections made by visitors on account of what remains in the way of old buildings. Dresden has cultural flair and one can sense the radiance of the former royal seat. As a visitor or inhabitant of the city one breathes this glorious past and enjoys the city.

Le palais de Dresde est également en cours de reconstruction tandis que le palais Taschenberg situé juste derrière abrite déjà un hôtel de luxe. Avec une souscription ouverte aux personnes privées, la reconstruction de l'église Frauenkirche tut être financée.

Dresde s'embellit et aujourd'hui elle se situe au 3e rang des villes que les Allemands choisiraient pour leur retraite. On peut se demander quel est le secret de Dresde. Pourquoi les anciennes villas dégradées du quartier Weisser Hirsch ou les hôtels particuliers jadis magnifiques situés à Äussere Neustadt sont-ils si recherchés? Pourquoi est-il toujours si difficile d'obtenir une place pour l'Opéra Semper? Pourquoi la fête des rives de l'Elbe, qui se consacre particulièrement au renouveau du paysage culturel entre Loschwitz et Pillnitz a-t-elle chaque année un tel succès? Pourquoi le flot de touristes venus des quatre coins du monde dans la métropole de la Saxe ne tarit-il pas? Dresde est une belle ville, même si tous les travaux d'embellissement ne sont pas encore achevés. Dresde est une ville imprégnée de culture et le visiteur ressent l'atmosphère de son glorieux passé.

STADT WEHLEN

Dresden, Neumarkt mit der Frauenkirche und der königlichen Karosse um 1750
(Gemälde von Bernardo Bellotto gen. Canaletto)

Elbufer mit Blick zur Altstadt, Frauenkirche, Kunstakademie sowie Hofkirche, Schloss und Semperoper

Elbe and the Old City • Elbe et la Vieille-Ville

Weithin sichtbar überragen die Türme von Dresdens Altstadt das einmalige Barockensemble direkt am Ufer der Elbe. Zu Kathedrale und altem Ständehaus an der Brühlschen Terrasse gesellt sich erst seit einigen Jahren wieder der Hausmannsturm mit seinen goldglänzenden Kugeln und der meterhohen Spitze in voller Größe (Seite 11). Mit den Dampfern der Sächsischen Dampfschifffahrt kann man das Elbtal aus der Nähe kennenlernen.

The towers of Dresden's Old City, visible from afar, rise up above the one-time baroque ensemble directly on the banks of the Elbe. The Cathedral and former Landhaus on the Brühl Terrace have only recently been rejoined by the Hausmanns Tower with its gleaming gold balls and full-length, high spire (page 11). On the steamers of the White Fleet you can explore the Elbe valley from Meissen to the Elbe sandstone mountains.

Les tours de la Vieille-Ville de Dresde dominent un ensemble baroque unique situé au bord de l'Elbe. Depuis quelques années, la tour Hausmanns (p. 11) avec ses coupoles dorées et sa flèche d'un mètre de haut ont rejoint la Hofkirche et l'ancienne Landhaus sur la terrasse de Brühl. Avec les bateaux de la « flotte blanche » on peut découvrir la vallée de l'Elbe de Meissen jusqu'aux monts de grès.

Die Frauenkirche war damals nicht nur die Krönung der Stadtsilhouette Dresdens, sie war auch eine bauliche Meisterleistung und zählt zu den wichtigsten Werken europäischer Kultur- und Baugeschichte. Der Zentralbau auf einem quadratischen Grundriss unter einer gewaltigen Kuppel, auch „Steinerne Glocke" genannt, wurde 1743 vollendet. Im Jahre 2004 wurde Dresdens Silhouette wieder komplettiert mit der rekonstruierten Außenfassade der Frauenkirche. Der barocke Innenraum mit seiner beeindruckenden Geschlossenheit erstrahlt seit Ende Oktober 2005 wieder in neuem Glanz.

The central building of the Frauenkirche on a quadratic ground plan under a formidable dome, also called the "Stone Bell", was completed in 1743. The church was not only the coronation of Dresden's silhouette, it was also an engineering master work and is one of the most important works of European culture and architectural history. In the year 2004 the silhouette of Dresden was recompleted with the reconstructed external facade of the Church of Our Lady. The baroque interior with its impressing unanimity was lit up in 2005 in new gloss.

Le corps central du bâtiment, couronné d'une puissante coupole était achevé en 1743. L'église ne dominait pas seulement la physionomie de la ville, elle était également un chef-d'œuvre architectural et comptait parmi les plus importants édifices historiques d'Europe. En 2004, La façade reconstruite de la Frauenkirche (église Notre-Dame) venait enfin de nouveau compléter la physionomie de Dresde. Depuis fin octobre 2005, on peut aussi de nouveau admirer l'intérieur baroque homogène dans toute sa splendeur.

Brühlsche Terrasse mit Blick zur Semperoper und einem der beliebten Stadtfeste in Dresden

Brühl Terrace, view to the Semper Opera House; one of Dresden's popular city festivals • Terrasse de Brühl avec vue sur l'opéra Semper – Fête populaire à Dresde

Eigentlich sind Geschichte und Kultur dem Sachsen ein Lebenselixier, und die Heimat alles. Denn wo bitte kriegt man 16.000 Menschen auf die Straße, nur weil sieben Kirchenglocken aus der Gießerei ankommen? Den Gewerkschaften vor Ort gelang das nicht. Nie hat ein Bauwerk so die Massen umgetrieben – Manager und Kinder, Omas und Nobelpreisträger. 13.000 Unterstützer in 23 Ländern. Sie gaben Geld und brachten fast zwei Drittel der Aufbaukosten auf: mehr als 100 Millionen Euro.

History and culture are the lifeblood of these people, and their homeland is everything to them. Where else would 16,000 people crowd the streets merely to watch the arrival of seven church bells from the foundry? The workplace might not exert such a pull, but the building of this church most definitely did. No building project has ever captured the public imagination to such an extent; professionals and children, grandmothers and Nobel prize winners. 13,000 benefactors from 23 countries gave money to raise two-thirds of the necessary funds.

Les Dresdois avaient eux-mêmes longtemps eu des doutes : reconstruire une église avec des dons? Cela ne marchera jamais! Il est vrai que les Saxons ont besoin de temps pour s'habituer, mais l'Histoire et la culture leur sont un élixir de vie et leur « coin de pays » est tout pour eux. Où peut-on faire descendre 16 000 personnes dans la rue, seulement pour voir arriver sept cloches de la fonderie? Quoi qu'il en soit, aucun édifice historique n'a jamais soulevé de tels élans collectifs. Managers, enfants, seniors et Prix Nobel, le soutien de 13 000 personnes dans 23 pays, des amicales dans le monde entier.

Frauenkirche, Innenraum in originalgetreuer Rekonstruktion
Frauenkirche, showing the faithfully reconstructed interior • Frauenkirche, intérieur reconstruit à l'identique

43 Prozent der alten Steine wurden in den Neubau transplantiert. Bei den Räumungsarbeiten förderten Enttrümmerer auch Unerwartetes zu Tage: Neben Begehrlichkeiten wie das alte Kuppelkreuz und einer Christusfigur fand man die Grabstätte des ersten Kirchenbaumeisters George Bähr. In die vergoldete Turmkugel, auf welcher das Kreuz steht, wurde eine tresorartige Kapsel eingefügt. Hier sind die Baupläne der Kirche sowie Zeitungen und Münzen für die Nachwelt eingelagert. Deponiert wurde die Kapsel von den Briten McDonald und Smith.

Some 43 percent of the original stone was re-used in the new building. The efforts of those clearing the rubble were also boosted by unexpected finds: coveted items such as the cross on top of the original dome, a statue of Christ and the grave of George Bähr, the master builder of the original church. Two Britons, Mc Donald and Smith, deposited a time capsule in the golden dome surmounted by a cross at the top of the spire. The capsule contains keepsakes for posterity such as the building plans of the church, newspapers and coins of the day.

43% des anciennes pierres ont pu être réutilisées. Lors des travaux de déblaiement, la croix de l'ancienne coupole, une statue du Christ et la tombe de George Bähr, le maître d'œuvre de l'église d'origine, ont été mises au jour. La coupole dorée abrite une capsule, sorte de coffre-fort, contenant les plans de l'église, des monnaies et des journaux actuels. L'installation de cette capsule destinée à la postérité a été effectuée par les Britanniques Mc Donald et Smith.

Aufstellung der neuen Kirchenglocken der Frauenkirche

An assembly of new bells for the Frauenkirche • Exposition des nouvelles cloches de la Frauenkirche

Im modernisierten Albertinum tritt in der „Galerie Neue Meister" die Kunst des 19. Jahrhunderts in einen spannungsvollen Dialog mit der modernen Kunst bis in die jüngste Gegenwart. Auf dem Rundgang erlebt man die Entwicklung von der Romantik über die Moderne des 20. Jahrhunderts bis zu den jüngsten Werken von Gerhard Richter. August Rodin setzt in der Skulpturensammlung den Weganfang der Moderne, der auch dort zur Gegenwart führt. Das Herzstück der Sammlung, die antiken Plastiken, findet man seit 1887 im Albertinum, dem ehemaligen Zeughaus im Renaissancestil.

In the Gallery of Modern Masters in the renovated Albertinum, 19th and 20th century art is juxtaposed with contemporary art in a new, exciting way. The round tour traces the development of art from Romanticism through 20th century Modernism up to Gerhard Richter's latest work. The Sculpture Collection starts with the pioneering work of Auguste Rodin and likewise ranges from Modernism to the present. The centrepiece of the collection, which since 1899 has been housed in the Albertinum, an old Renaissance armoury, is the Antiquities Collection, partly on show in a display storeroom.

Dans l'édifice de style néo-Renaissance modernisé,la « Galerie des nouveaux maîtres » est la scène d'un dialogue captivant entre l'art du XIXe siècle et l'art contemporain jusqu'à nos jours. On y découvre le développement artistique, depuis la période romantique à l'art moderne classique du XXe siècle jusqu'aux oeuvres de l'Allemand Gerhard Richter – Dans la « Collection des sculptures », August Rodin ouvre la voie de l'ère moderne qui conduit à l'avant-gardisme. Depuis 1899, la collection de sculptures antiques est une pièce maîtresse de l'Albertinum.

Zwinger – ehemaliger höfischer Festplatz

The Zwinger, once used for courtly festivities • Ancienne cour d'honneur du Zwinger

Der Zwinger stellt einen Höhepunkt der sächsischen Barockbaukunst dar. Leicht und transparent, fast gläsern wirkt der sonst so schwere Sandstein; die Verbindungsgänge zwischen Glocken-, Wallpavillon und Kronentor scheinen förmlich abzuheben. Das Licht spiegelt sich tausendfach im Wasser der weit geschwungenen Brunnenanlage, im Sommer sprühen hier Fontänen. 1710-32 von Matthäus Daniel Pöppelmann mit Hilfe von Bildhauer Balthasar Permoser gebaut, war der Zwinger ursprünglich Festplatz und Kulisse für höfische Vergnügungen.

The Zwinger represents the climax of Saxon baroque architecture. The sandstone, otherwise so heavy, appears light and transparent, almost glassy, the passages connecting the bell pavilion. The rampart pavillion and the Kronentor seem to take off, the light is reflected in the waters of the sweeping, sparkling summer fountains. Built between 1710 and 1732 by Matthäus Daniel Pöppelmann with the help of the sculptor Balthasar Permoser, the Zwinger was originally intended as a park and backdrop for festivals.

Le Zwinger représente l'un des sommets de l'architecture baroque. Le grès, d'ordinaire si lourd, donne ici une impression de légèreté et de transparence, on dirait presque du verre. La lumière se reflète dans des bassins, le Zwinger, construit de 1710 à 1732 par Matthäus Daniel Pöppelmann avec l'aide du sculpteur Balthasar Permoser était à l'origine une place de carrousel destinée aux fêtes de la cour, à des concerts et des représentations théâtrales en plein air.

Die Anlage öffnete sich großzügig zum Theaterplatz und zur Elbe hin. Ihren seltsamen Namen gab ihr die Lage zwischen äußerer und innerer Wehrmauer, ein Platz, der sonst nicht bebaut wird. Der Wassergraben, über den ein Holzsteg zum Kronentor führt, erinnert daran. Der Zwinger enthält heute die weltberühmte Gemäldegalerie Alte Meister, die Rüstkammer, die Porzellansammlung sowie den Mathematisch-Physikalischen Salon. – Im Zwinger wurde unter August dem Starken vor 300 Jahren in barocker Kleidung Hof gehalten. Oftmals ging es dabei auch ausgelassen zu.

The park embraces the Theatre Square and Elbe. Its strange name comes from its location between the outer and inner wall protection, an area that was otherwise not built on. The moat, which can be crossed via a wooden bridge giving access to the Kronentor, is a reminder of this fact. Today it houses the Old Masters Art Gallery, a collection of international acclaim. – Three hundred years ago, the Zwinger was home to August the Strong's court, with its members decked out in baroque clothes and often in high spirits.

Le vaste complexe s'étendait jusqu'à la place du théâtre et l'Elbe. Il doit son nom original (Zwinger signifiant fosse) à son emplacement entre les anciennes enceintes intérieure et extérieure de la ville. La douve que franchit une passerelle conduisant au Kronentor rappelle cette période. Le Zwinger abrite aujourd'hui des collections d'œuvres d'art – peintures et porcelaines- mondialement connues. - Il y a 300 ans, à l'époque du baroque, le souverain Auguste le Fort avait établi sa cour au Zwinger.

Zwinger, das Kronentor mit Blick auf den Französischen Pavillon und den Semperbau

The Zwinger, the Crown Gateway with, the French Pavilion and the Semperbau • Zwinger, portail d'entrée avec vue sur le Pavillon français et le Semperbau

Semperbau am Zwinger, Galerie der Alten Meister mit Blick auf die Sixtinische Madonna mit ihren weltberühmten Engeln
Gallery of Old Masters, view to the Sistine Madonna and her world-famous cherubs • Galerie des Maîtres Anciens avec la célèbre Madone Sixtine de Raphaël

Eine besondere Kostbarkeit der Sammlung Alte Meister ist die „Sixtinische Madonna" von Raffael. 1512/13 malte er sie für den Hauptaltar der Klosterkirche San Sisto in Piacenza auf Bestellung von Papst Julius II. Mit diesem hat der heilige Sixtus, links im Bild, Ähnlichkeit, rechts kniet die heilige Barbara, auch sie eine Märtyrerin des 3. Jahrhunderts. In der Mitte gibt ein geraffter Vorhang den Blick auf die Madonna mit dem Kind frei, die über den Wolken zu schweben scheint. Durchdringend und doch zart ist ihr Blick, er verleiht dem Bild erhabenen und menschlichen Charakter zugleich.

One of the special treasures in the collection of Old Masters is Raphael's Sistine Madonna. He painted it in 1512/13 for the main altar of the monastery church of San Sisto in Piacenza, at the behest of Pope Julius II. St Sixtus on the left of the picture bears a strong resemblance to the latter. On the right is St Barbara, a third century martyr. In the middle, through a curtain, we have a view of the Madonna with child, who seems to be floating above the clouds. Her look is penetrating, yet gentle.

Une des richesses de la collection « Maîtres anciens » est la « Madone Sixtine » de Raphaël. Il l'a peinte en 1512/13 pour le maître-autel de l'église du cloître San Sisto à Piacenza sur commande du pape Julius II. Saint Sixtus, à gauche du tableau, lui ressemble; la Sainte Barbara est agenouillée à droite, elle aussi martyre du IIIe siècle. Au centre, un rideau relevé laisse découvrir la Vierge avec l'enfant, semblant planer au-dessus des nuages. Son regard à la fois pénétrant et doux confère à ce tableau une impression de sublime mais aussi de profonde humanité.

Acht Bilder Dürers, acht von Cranach d. Ä. und zehn Bilder Holbeins d. J. weist der erste gedruckte Katalog der Sammlung von 1765 aus. Natürlich haben sich diese Angaben inzwischen verändert. Eines der berühmten Werke von Albrecht Dürer ist das Bildnis Bernhard von Reesen, datiert auf 1521. Es besticht durch die Intensität des Ausdrucks. Porträtiert wurde Bernhard von Reesen (1491-1521), Nachkomme einer angesehenen Danziger Kaufmannsfamilie, bringt Tatkraft und Energie zum Ausdruck, lässt aber auch Gefühl und Anteilnahme erahnen.

The first printed catalogue of 1765 lists eight paintings by Dürer, eight by Cranach the Elder and ten by Holbein the Younger. Of course things have changed since then. One of Dürer's famous works is the Picture of Bernhard von Reesen from 1521. The intensity of expression is fascinating. The image shows Bernhard von Reesen (1491-1521), the descendant of a respected Danzig merchant family – exudes energy and vigour, but also suggests sympathy and feeling.

Huit tableaux de Dürer, huit de Cranach l'Ancien et dix de Holbein le Jeune sont recensés dans le premier catalogue imprimé de la collection de 1765. Naturellement ces données ont changé depuis cette date. Une des œuvres les plus célèbres d'Albrecht Dürer est le Portrait Bernhard von Reesen, daté de 1521. Il frappe par l'intensité de l'expression. Représentant Bernhard von Reesen (1491-1521), descendant d'une famille estimée de commerçants de Danzig exprime vigueur et énergie mais aussi sensibilité et douceur.

Es sind die prächtigen Farben des feingewirkten Teppichs, die beim ersten Anblick von „Bei der Kupplerin" von Jan Vermeer van Delft bestechen. Leuchtend ist auch das Gelb des Kleides des Freudenmädchens, Käuflichkeit bringt es zum Ausdruck, obwohl der Künstler das Gewerbe, dem sie nachgeht, nicht zu kritisieren scheint. Allzu selbstverständlich wirkt das Nehmen und Geben, das die Haltung der anderen Personen auf dem Bild beschreibt. Das Jugendwerk des Meisters lässt ein Selbstbildnis in dem Musikanten links im Bild vermuten; datiert ist es auf 1656.

It is the magnificent colours in the finely woven carpet that catch one's attention when first looking at Jan Vermeer van Delft's Matchmaker. The yellow of the prostitudes dress is brilliant, too, suggesting venality, although the painter does not seem to criticise the trade she follows; the attitude of the other figures in the picture seems so natural. In this youthful work of Vermeer's there is probably a self-portrait in the figure of the musician on the left. It dates from 1656.

Ce sont d'abord les couleurs splendides du tapis finement tissé qui frappent le regard lorsque l'on voit pour la première fois « L'Entremetteuse » de Jan Vermeer van Delft. Le jaune éclatant de la robe de la prostituée suggère la cupidité, bien que l'artiste ne semble pas critiquer l'activité qu'elle exerce, le comportement des autres personnages du tableau étant représenté de façon très naturelle. On suppose que le musicien à gauche de cette œuvre de jeunesse du maître (datée de 1656) est un autoportrait du peintre.

717 präsentierte August der Starke seine ɔrzellansammlung im Holländischen Palais. :hon 1730 wurde das zu kleine Schloss zum apanischen Palais" umgebaut. Augusts Traum vom 'orzellanschloss", in dem fast alles aus Porzellan esteht, sollte hier wahr werden. Nach seinem Tod urde dieser Plan aufgegeben. Im Zwinger ist die ammlung seit 1962 zu Hause. Die neue Präsentation er Exponate in kunstvollen Wandarrangements, eordnet nach Farben, Dekor und Herkunft, folgt einen alten Plänen.

In 1717 August the Strong presented his porcelain collection in "Holländisches Palais" (Dutch Palais). By 1730, the small palace had been transformed into the "Japanisches Palais" (Japanese Palais). August's dream of a "porcelain palace" in which almost everything was made of porcelain was supposed to be realised, but after his death this plan was abandoned. The collection has been housed in the Zwinger since 1962. The new presentation of the exhibits in artistic wall arrangements, arranged according to colour, decoration, and place of origin, is in keeping with his original plans.

En 1717, Auguste le Fort présentait sa collection de porcelaine au palais hollandais. Dès 1730, l'édifice trop petit était transformé pour devenir le « Palais japonais ». Auguste poursuivait son rêve de créer un « château de porcelaine » aménagé uniquement dans ce matériau. Ce projet fut abandonné à sa mort. Le Zwinger abrite la collection depuis 1962. La superbe présentation murale des objets, classifiés selon les couleurs, les décors et leurs origines, suit les plans initiaux du souverain.

Was nicht in eigenen Werkstätten entstan erwarb August der Starke unbekümme bei den Nachbarn: 600 „Lange Kerl stellte er dem Preußenkönig und tauscht dagegen einen Meter hohe Deckelvase die so genannten „Dragonervasen" m blauer Unterglasmalerei. Zauberhaft sin vor allem die kleinen Figurengruppen un Tischdekorationen von Johann Joachi Kändler wie die Hofnarren Fröhlic und Schmiedel. Die beiden berühmte Spaßmacher am sächsischen Hof tauche in zahlreichen Darstellungen auch andere Natur auf. Die hier abgebildete Figu stammt von 1747.

What was not available in his own workshops August the Strong acquired unperturbed from his neighbours. 600 dragoons he put at the disposal of the Prussian King, exchanging them for one-metre-high vases, the so-called "dragoon vases" with blue underglaze painting. Enchanting are the little groups of figures and table decorations by Johann Joachim Kändler and the court jesters Fröhlich and Schmiedel. The two famous dwarfs, jesters at the Saxon royal court, also appear in countless other depictions. The figure shown here dates from 1747.

Ce qui n'était pas créé dans ses propres ateliers, Auguste le Fort l'acquérait chez ses voisins: En échange de 600 soldats le roi de Prusse lui donna de grands et hauts vases à motifs bleus avec couvercle dénommés les vases du dragon. Les figurines et les décorations de table de Johann Joachim Kändler sont particulièrement intéressantes. Il existe de nombreuses représentations des deux nains célèbres, fous du roi à la cour de Saxe, et celle reproduite ici date de 1747.

Unübertroffen bleibt das Schwanenservice, das Kändler und Eberlein 1737-1742 eigens für Heinrich Graf Brühl fertigten. Mehr als zweitausend Teile umfasste es, heute noch sind die Stücke weltweit begehrte Sammlerobjekte und Motiv fantasievoller Legenden: farbige Muscheln, Schnecken und Korallen auf weiß glänzendem, leicht gerippten Porzellan, zarte Meerjungfrauen auf dem Terrinendeckel, Griffe in Form von Tritonenkindern und Füße aus tanzenden Delfinen mit dicken, lachenden Mäulern. Anlässlich der Heirat des Ministers hatte man den Schwan zum Hauptmotiv gewählt.

Unsurpassed is the swan service created by Kändler and Eberlein especially for Henry Count of Brühl between 1737 and 1742. It comprises 2200 items, much sought-after collector's pieces from all over the world and the source of many legends: coloured shells, snails and corals on gleaming white porcelain, delicate mermaids on the lids of the tureens, handles in the shape of Triton children, feet made of dancing dolphins with broad, laughing mouths. The swan was chosen as the main motif for the minister's wedding.

Le service des cygnes que Kändler et Eberlein ont créé spécialement entre 1737 et 1741 pour le comte Henri de Brühl est inégalé. À l'occasion de son mariage, il avait choisi comme emblème principal le cygne qui ne représentait pas seulement le blason de la dynastie Brühl, mais symbolisait également Amour et Fidélité. Ce service comporte 2200 pièces dont certaines sont encore aujourd'hui des pièces de collection convoitées. Il évoque un monde imaginaire peuplé de sirènes graciles, de tritons et de dauphins.

In der Porzellansammlung scheint das Service mit dem Wappen des Herzogs von Parma, in Meißen um 1734/35 gefertigt, geradezu abzufallen. Doch es weist andere raffinierte Fertigungstechniken auf, statuierte doch jedes Stück, das die Meißner Manufaktur verließ, ein Exempel für hochkarätige Handwerkskunst.

In the Porcelain Museum the dinner service with the coat of arms of the Duke of Parma, created in Meissen around 1734/35, seems to compare badly with the other exhibits. Yet it is an example of other, highly sophisticated production techniques. Each piece of porcelain that left Meissen's workshops was an example of craftsmanship of the highest quality.

Le service aux armes du duc de Parme réalisé à Meissen vers 1734-1735 semble à première vue d'un intérêt moindre. Toutefois, c'est une pièce importante témoignant des techniques de fabrication extrêmement sophistiquées de la manufacture de porcelaines de Meissen.

Eine Tierschau der besonderen Art bietet sich dem Besucher im Saal der Meissner Porzellantiere. Diese Spezialsammlung zeichnet sich durch ihre Vielfalt und Qualität auf der ganzen Welt aus. August der Starke war regelrecht süchtig nach dem weißen Gold und häufte Bestände an, die uns heute nur staunen lassen und den einen oder anderen zu wahren Verzückungen verleitet. Große Bestände Meissner Porzellans und ostasiatischer Porzellane aus dem 17. und 18. Jahrhundert kommen in der einzigartigen Kulisse des Zwingers in ihrer vollen Pracht zur Geltung.

Visitors to the Meissen Porcelain Collection are greeted by an animal exhibition of a very unusual kind. This special collection is world-famous for its great diversity and excellent quality. August the Strong's passion for amassing porcelain, his beloved 'white gold', was almost an addiction, and he accumulated huge stocks of it that astonish us today and send connoisseurs into raptures. These huge collections of Meissen and East Asian porcelain, dating from the 17th and 18th centuries, are shown off to full advantage against the outstandingly beautiful backdrop of the Zwinger.

Une « ménagerie » très particulière en porcelaine de Meissen fait l'admiration des visiteurs du musée de la Porcelaine installé au Zwinger. Le prince-électeur Auguste le Fort de Saxe était un passionné de « l'or blanc » et rassembla toute une diversité de pièces magnifiques réalisées dans plusieurs pays du monde. Une quantité impressionnante de porcelaines de Meissen et de porcelaines de Chine et du Japon des XVIIe et XVIIIe siècles dévoilent toute leur splendeur dans le cadre unique du Zwinger.

Die Sammlung im Mathematisch-Physikalischen Salon enthält mehr als 2000 bedeutende Instrumente der Mathematik, Physik, Astronomie, Geodäsie und Metrologie. Die Bestände an Erd- und Himmelsgloben aus dem 13. bis 19. Jahrhundert sind einzigartig in ganz Deutschland. Hervorzuheben ist ebenso die Uhrensammlung. Der links abgebildete Globus wird mit einem Uhrwerk angetrieben und stammt aus Süddeutschland (Anfang des 17. Jh.). Er hat ein Schlagwerk für jede Viertelstunde und einen Basiskompass, oben auf sitzt eine kleine Armillarsphäre – ein Meisterwerk.

The collection in the Mathematical-Physical Salon comprises more than 2000 important instruments from the fields of mathematics, physics, astronomy, geodesy and metrology. The collection of globes and celestial globes is unique in Germany. It covers the period from the 13th to 19th century. The clock collection is also of note. The globe shown on the left is driven by clockwork and is from South Germany (early 17th century). It has a striking mechanism for every quarter of an hour and a compass. On the top of this masterpiece of precision is a small armillary sphere.

La collection du « Salon de mathématiques et de physique » contient plus de 2000 instruments de mathématiques, de physique, d'astronomie, de géodésie et de métrologie dont les plus anciens datent du XIIIe au XIXe siècle. La collection de globes est unique dans toute l'Allemagne, sans oublier la collection d'horloges. Le globe représenté sur la gauche (début du XVIIe), chef-d'œuvre de précision équipé d'une boussole, fonctionne avec un mécanisme d'horlogerie et donne l'heure toutes les quinze minutes.

Das über 800 Jahre herrschende Fürstengeschlecht der Wettiner mit seiner Leidenschaft für Turniere und Jagden hinterließ Harnische und Blankwaffen, Reitzeug und Jagdgerät von meisterhafter Vollendung. Die Bestände der Rüstkammer in der Sempergalerie reichen vom 15. bis in das 19. Jahrhundert und umfassen neben den Bildnissen der Fürsten und ihren Kostümen auch fürstliche Geschenke, eine Sammlung orientalischer und ostasiatischer Waffen sowie die Gewehrgalerie. Insgesamt hat sie 10.000 Gegenstände aufzuweisen, von denen aber nicht alle ausgestellt sind.

The Wettiner lineage that ruled for over 800 years were passionate devotees of hunting and tournaments. They left suits of armour and swords, riding and hunting equipment of masterly perfection. The exhibits in the Semper Gallery Armoury cover the period between the 15th and 19th century, and include paintings, costumes and gifts, a collection of oriental and east-Asian weapons and a firearms gallery. Overall there are 10,000 items. Not all of them, however, are on show.

Après 800 ans de règne, les comtes de Wettin passionnés de tournois et de chasse, ont laissé une collection impressionnante de harnais, d'armures et d'accessoires de cavalerie et de chasse datant du XVe au XIXe siècle. Elle contient, outre les portraits et les costumes des princes, des cadeaux princiers, une collection d'armes orientales et asiatiques ainsi que des fusils. En tout, plus de 10 000 pièces dont certaines ne sont pas exposées.

Im Stallgebäude blieb die Sammlung bis 1721, dann musste sie der Gemäldegalerie weichen, für die sich August der Starke mehr begeisterte. Aber er ergänzte die Rüstkammer um eine Gewehrgalerie nach dem Vorbild Ludwig des XIV. Heute beherbergt das Museum eine der reichsten Feuerwaffensammlungen Europas. Zu den bedeutendsten Exponaten zählt das prunkvolle Krönungsornat August des Starken, das er anlässlich seiner Krönung zum polnischen König trug.

The collection remained in the stables until 1721, when it had to make space for the picture gallery that interested August the Strong more. But he expanded the Armoury by adding a weapon gallery based on that of Ludwig the XIV. Today the museum houses one of the richest collections of firearms in Europe. The magnificent crowning regalia of August the Strong, worn to his crowning as king of Poland, is among the most important exhibits.

La collection resta dans les écuries jusqu'en 1721, puis dut laisser la place à la galerie de peintures, qui répondait davantage au goût d'Auguste le Fort. Le souverain ajouta pourtant à la salle « militaire » une galerie d'armes selon le modèle de Louis XIV. Aujourd'hui, le musée abrite une des plus importantes collections d'armes à feu d'Europe. La tenue fastueuse portée par Auguste le Fort quand il fut couronné roi de Pologne fait partie des pièces majeures du musée.

Brühlsche Terrasse mit dem Sächsischen Ständehaus, Georgentor und der Hofkirche

Brühl Terrace, showing Saxon Statehouse, Georgentor royal residence and Hofkirche • Terrasse de Brühl – et monuments historiques

Einen weiteren architektonischen Akzent am Theaterplatz setzt die Hofkirche Kathedrale Sanctissimae Trinitatis des Bistums Dresden/Meißen. Mit 4800 Quadratmetern Fläche ist sie die größte Kirche Sachsens und die letzte große Leistung des Barocks in Europa. Obwohl August der Starke schon 1697 zum Katholizismus übergetreten war, ließ sein Sohn Friedrich August II. 1738 inmitten des protestantischen Sachsens eine katholische Hofkirche erbauen. Für die Balustraden schuf Lorenzo Mattielli 78 überlebensgroße Heiligenstatuen mit wehenden Gewändern.

Another architectural highlight is the Hofkirche, or court chapel, on Theaterplatz, the Cathedral of the Holy Trinity of the diocese of Dresden and Meissen. It is the largest church in Saxony, with a floor area of 4800 square metres, the last great achievement of the Baroque era in Europe. August the Strong had already converted to Catholicism in 1697 when in 1738 his son Friedrich August II build a catholic court chapel in the heart of Protestant Saxony. Lorenzo Mattielli created the 78 larger-than-life statues of the saints on the balustrade.

Au Theaterplatz (place du théâtre), l'église « Hofkirche » / cathédrale Sanctissimae Trinitatis de l'évêché de Dresde/Meissen. Elle est la dernière grande réalisation baroque en Europe et la plus vaste église de Saxe avec une superficie de 4800 mètres carrés. Auguste le Fort s'était converti au catholicisme en 1697; au coeur de la Saxe qui était protestante, son fils Frédéric-Auguste II fit ériger en 1738 une nouvelle « Hofkirche » catholique. Lorenzo Mattielli réalisa les grandes statues de saints de la balustrade, aux tuniques flottant au vent.

Die historische Orgel von Johann Gottfried Silbermann ist dessen letzte, größte und als einzige in Dresden unzerstört gebliebene Orgel. Das lag an ihrer damaligen Auslagerung. Die Rokokokanzel der Hofkirche schuf Balthasar Permoser. In der Wettiner Gruft wird das Herz August des Starken in einer Kapsel aufbewahrt. Bis 1918 diente die Kirche als katholische Hofkirche, darüber hinaus als Pfarrkirche. Beim Luftangriff auf Dresden am 13. Februar 1945 wurde sie zerstört. 1962 war das Hauptschiff wieder zu nutzen und 1987 war sie vollständig fertig gestellt.

The historic organ is the last and the largest one crafted by Gottfried Silbermann and the only one in Dresden which was not destroyed in the war. The Rococo pulpit is the work of Balthasar Permoser. August the Strong's heart is preserved in a capsule in the Wettin crypt. The church served as the Catholic imperial chapel until 1918, and thereafter as the parish church. It was destroyed during the air raids on Dresden on 13th February 1945. By 1962 the nave was back in use. The church then became the diocesan cathedral of Dresden and Meissen.

L'orgue historique, dû à Johann Gottfried Silbermann, échappa aux destructions de la guerre, ayant été mis à temps en sécurité. La chaire rococo est une oeuvre de Balthasar Permoser. La crypte des Wettiner abrite le tombeau d'Auguste le Fort. Église de la cour jusqu'à 1918, la « Hofkirche » devint ensuite une église paroissiale. Elle fut dévastée durant les bombardements du 13 février 1945. On pouvait de nouveau utiliser sa nef centrale en 1962, et elle était entièrement reconstruite en 1987. À partir de 1980, elle devint la cathédrale de l'évêché de Dresde/Meissen.

Der Fürstenzug an der Nordwand des Stallhofs des Schlosses

The Procession of Princes on the north wall of the royal palace stables • « Cortège des princes », mur nord de la cour des écuries du château

Anlässlich seiner 800-Jahr-Feier gab das Haus Wettin den Auftrag, alle 35 Markgrafen, Kurfürsten und Könige seines Geschlechtes in Form eines Fürstenzuges aufzuführen. Der Maler Wilhelm Walther erschuf eine Malerei auf der Rückwand des Langen Gangs. Schon nach wenigen Jahren war das Gemälde so schadhaft, dass es 1907 in der Meißner Porzellanmanufaktur auf insgesamt 25.000 Porzellankacheln aufgetragen werden musste. Das war Dresdens Glück, denn in dieser Form hat es den Feuersturm bei der Zerstörung Dresdens fast unbeschadet überstanden.

To mark its 800th anniversary, the House of Wettin had all 35 margraves, electors and Kings of its line recreated in the form of a procession. The painter Wilhelm Walther created the design whereby a mural could be applied to the rear wall of the Long Corridor. But the painting became so damaged after only a few years that in 1907 it was divided up and spread over a total of 25,000 porcelain tiles in the Meissen porcelain workshops. That was lucky for Dresden, for in this form the procession survived the firestorm of 1945 almost undamaged.

Pour les festivités de ses 800 ans, la maison des Wettin fit une commande au peintre Wilhelm Walther: il devait peindre dans un « défilé des princes» les 35 margraves, princes-électeurs et rois de cette lignée sur le mur arrière du Langer Gang. Quelques années plus tard, la peinture était si endommagée qu'elle fut reproduite en 1907 dans la manufacture de porcelaines de Meissen sur 25000 carreaux de porcelaine. Ce fut une chance pour Dresde car, sous cette forme, elle a survécu presque sans dommages à la destruction de Dresde.

Wenn mittelalterliche Fürsten über Land zogen, waren sie von Musikzügen begleitet, die dem Volk zeigten: Hier kommt hoher Besuch! So beginnt auch der "Fürstenzug", bevor Markgraf Konrad, der Ahnherr der Wettiner, mit segnend erhobenen Händen naht. Otto der Reiche und Albrecht der Stolze, Albrecht II., Friedrich der Sanftmütige mit Söhnen, dann die Leipziger Teilung des Wettiner Besitzes (1485). August der Starke führt ein wildes Pferd. Sein Sohn ist kaum zu sehen, wie in der wahren Geschichte. Nur Heinrich I. von Eilenburg und Friedrich August III. fehlen.

Medieval nobles were accompanied by musicians whenever they travelled, to show off their consequence! At the head of the Fürstenzug procession is Margrave Konrad, the progenitor of the Wettin dynasty, advancing with his hands raised in blessing. Otto the Rich, Albrecht the Proud, Albrecht Friedrich the Meek and his sons. The Leipzig branch of the Wettiners, founded in 1485, it follows. August the Strong leads an unruly horse. His son is hardly visible, as it was the case in real life. Only Heinrich I of Eilenburg and Friedrich August III are exepted.

Quand les princes du moyen âge se déplaçaient, ils étaient accompagnés d'un groupe de musiciens, qui annonçait au peuple leur arrivée. Ainsi, dans le « Cortège princier », ils précèdent le margrave Conrad, fondateur de la lignée des Wettiner. Otto le Riche et d'Albrecht le Fier, Friedrich le Débonnaire et ses fils. Est ensuite illustrée la division des territoires des Wettiner (1485), Auguste le Fort monte un cheval récalcitrant. On remarque à peine son fils, aussi insignifiant que dans l'Histoire. Seulement Henri 1er von Eilenburg et Frédéric-Auguste III manque.

Am Theaterplatz steht ein steinernes Monument klassischer Musikbegeisterung: die Semperoper. Der von dem Hamburger Architekten Gottfried Semper entworfene „Musikpalast" entstand zwischen 1870 und 1878. Aber nicht nur das Bauwerk brachte Dresden Ruhm ein, auch musikalisch tat sich hier einiges. Richard Strauss zum Beispiel feierte mit einigen Uraufführungen große Erfolge. Ab dem Jahr 1914 entwickelte sich die Semperoper unter den Operndirektoren Ernst von Schuch und Fritz Busch zur ersten Adresse in der europäischen Musikwelt.

The Semper Opera stands on Theaterplatz, a monument to great classical music. This "palace of music" was designed by the Hamburg architect Gottfried Semper and built between 1870 and 1878. Dresden achieved fame not only with the building itself but also with the musical talent showcased here. Richard Strauss premiered several works here to great acclaim. Since 1914 the Semper Opera has achieved musical renown in Europe under the direction of Ernst von Schuch and Fritz Busch.

Un monument architectural de la musique classique se dresse au Theaterplatz: l'Opéra Semper. Le superbe édifice, oeuvre de l'architecte hambourgeois Gottfried Semper, fut construit entre 1870 et 1878. Il ajouta à la renommée de Dresde non seulement en raison de son architecture, mais aussi pour la qualité exceptionnelle de son programme musical. Richard Strauss y fut acclamé lors de plusieurs premières de ses oeuvres. À partir de 1914, le Semper devint un des hauts lieux du monde musical européen, sous la direction de grands noms tels Ernst von Schuch et Fritz Busch.

Residenzschloss Dresden mit Blick auf die Semperoper
Royal Palace of Dresden, in the background the Semper Opera House • Château royal de Dresde avec vue sur l'opéra Semper

Residenzschloss mit Blick in die Schlossstraße

Royal Palace of Dresden, looking down Schlossstrasse • Château royal avec vue sur la rue « Schlossstraße »

Beim Schlossumbau im Renaissance 1547 durch Moritz von Sachsen wurd im Erdgeschoss vier gewölbte, extra star Mauern als „Tresor" für den Schatz d Wettiner Fürstenhauses angelegt. Die „Geheime Verwahrung" hieß schon ba in der Umgangssprache wegen der grü gefassten Türgewände und Säulen „Grün Gewölbe". – August der Starke richtete 171 zunächst zur Präsentation seiner kostbare Pretiosensammlung im Obergeschoss d Schlosses eine Pretiosenkammer und e Juwelenkabinett ein. Dort ist heute d „Neue Grüne Gewölbe." – Die einzigartig „Türckische Cammer" präsentiert die Schätz osmanischer Kunst.

In 1547 Moritz von Sachsen renovated th castle in Renaissance style with four vaulte reinforced rooms, which were built on th ground floor as a "vault" for the treasure c the Wettin royal house. This "secret trove" wa soon called "Grünes Gewölbe" in commo speech because of the green door vestmen and columns. August the Strong first create a valuable chamber and jewel cabinet fo the presentation of his exquisite collection c valuables in the living quarters in the uppe stories of the castle in 1714. These are the same rooms which are referred to today a "Neues Grünes Gewölbe" (New Green Vault)

En 1547, lors de la transformation du château en style Renaissance par Moritz de Saxe quatre salles voûtées, aux murs épais, furent aménagées comme « chambre forte » pour y abriter le trésor de la maison princière des Wettiner. Ce « lieu secret » fut plus tard surnommé le « Grüne Gewölbe » en raison de la couleur verte des portes et des piliers. En 1714, Auguste le Fort faisait installer une salle d'exposition qui accueillait sa collection d'objets d'art précieux et un cabinet d'orfèvrerie dans les appartements privés du premier étage du château. Ces salles abritent aujourd'hui le « Neues Grüne Gewölbe » (nouveau Grüne Gewölbe).

ESTAVR.CVRAV.A.MDC.LXXV
NIÆ BVRGRAVIVS
MAGDEBVRGENSIS

Über Jahrhunderte sammelten sächsische Herrscher kostbare und wunderliche Dinge aus Kunst und Technik. August der Starke gründete sogar ein Museum, das so genannte „Grüne Gewölbe" im Residenzschloss; es ist einer der Hauptanziehungspunkte für Besucher Dresdens. Dinglingers Hofstaat von Delhi am Geburtstag von Großmogul Aureng-Zeb, das Goldene Kaffeezeug für den König und der Mohr mit der Smaragdstufe (S.44) sind nur einige wenige Beispiele für die ungeheuer funkelnde und blitzende Pracht, die einen in der Sammlung empfängt.

For centuries, Saxon rulers collected both valuable and unusual artefacts from the fields of art and technology. August the Strong even founded a museum, the so-called Green Vault, which visitors can see again as a point of main attraction in the Residenzschloss. Dinglinger's royal Delhi retinue on the birthday of Grand Mogul Aureng-Zeb, the Golden Coffee Service for the King and the Mohr with the emerald step (p. 44) are just a few examples of the sparkling display.

Pendant des siècles, les souverains saxons collectionnèrent des pièces précieuses et étonnantes du domaine des arts et de la technique. Auguste le Fort fonda même un musée nommé « Grünes Gewölbe » (la voûte verte), comme point d´attraction principal pour les visiteurs, encore dans le Residenzschloss. On peut y admirer des pièces étincelantes comme la scène d'anniversaire du Grand Moghul Aureng-Zeb, le service à café en or pour le roi et le Maure sur un socle d'émeraude (p. 44).

Residenzschloss, Gewandstatue der Daphne (Abraham Jamnitzer 1586), Mohr mit Smaragdstufe (Balthasar Permoser 1724)
Royal Palace, statue of Daphne, Moor with Emerald Plate • Château royal – Statue de Daphné, Maure sur socle d'émeraude

Die historische Kreuzkirche mit Blick zum Altmarkt

Kreuzkirche (Church of the Holy Cross) • Kreuzkirche – Église de la Croix

Mitten im Herzen der Altstadt, auf dem Altmarkt, befindet sich Dresdens evangelische Hauptkirche. 1215 wurde sie als Nikolaikirche gegründet und 1388 als Kreuzkirche geweiht. Sie hat ihren Platz am Altmarkt mit vielen Turbulenzen erlebt. Bevor es den Zwinger gab, wurden auf dem Altmarkt rauschende Feste und Turniere gefeiert und die Wochenmärkte waren für die Dresdner immer ein wichtiger Treffpunkt. Auch das erste Rathaus befand sich hier. Seit vielen Jahrhunderten gilt die Kirche als das Zentrum des kirchenmusikalischen Schaffens.

Dresden's main Protestant church stands on the Altmarkt at the heart of the Old Town. Founded in 1215, it was originally dedicated to St Nicholas, but was reconsecrated in 1388 as the Kreuzkirche. With its central position in the market square, it has seen a turbulent past. Before the Zwinger was built, boisterous festivals and tournaments were held here, and weekly markets were favourite meeting places for local people. This was also the site of Dresden's first Town Hall. Today the church still retains its century-old traditional role as a centre for church music.

Au coeur de l'Altstadt (vieille-ville), à l'Altmarkt, se dresse la plus grande église évangélique de Dresde. Fondée en 1215, d'abord appelée église Saint-Nicolas, puis rebaptisée église de La Croix en 1388, la Kreuzkirche a vécu un passé très mouvementé. Avant l'édification du Zwinger, les fêtes et les tournois avaient lieu à l'Altmarkt ; les Dresdois s'y rencontraient aux marchés hebdomadaires; c'est également ici que fut construit le premier hôtel de ville. Depuis de nombreux siècles, jusqu'à aujourd'hui, la Kreuzkirche est un centre renommé de musique sacrée.

Die Altmarktgalerie – eines der modernsten Einkaufszentren

Altmarkt Gallery - one of Dresden's modern shopping centres • L'Altmarktgalerie – un des plus beaux centres commerciaux

Der Altmarkt ist das historische Zentrum der Stadt: Er diente nicht nur als Markt, sondern war bis zur Erbauung des Zwingers Schauplatz prunkvoller Feste, umgeben von eleganten Geschäften und Kaffeehäusern. Bis 1956 baute man die Ost- und Westseite in typischen Dresdner Barockformen wieder auf. Hier macht jetzt auch das Einkaufen wieder Spaß – in der Altmarktgalerie, einem der schönsten neu gebauten Einkaufszentren, mit über 100 Geschäften und Cafés. Den Altmarkt mit dem Hauptbahnhof verbindet die Prager Straße, bis zum Krieg die schönste Flaniermeile der Stadt.

The Altmarkt (Old Market) is the historical centre of the city: It not only served as a market square but, until the first construction of the Zwinger, was also the location of exorbitant festivals and surrounded by elegant shops and coffeehouses. By 1956 the eastern and western sides had been rebuilt in typical Dresden Baroque style. Now shopping here has become fun again – in the Altmarkt Gallery, one of the most beautiful malls with over 100 shops and cafes. The Prager Strasse connects the Altmarkt with the central train station and was one of the most beautiful boulevards in the city until the war.

L'Altmarkt (place du vieux-marché) est le coeur historique de la ville depuis l'époque du moyen-âge. Aux siècles derniers, jusqu'à la Seconde Guerre mondiale, la place était entourée d'élégants magasins, cafés et salons de thé. En 1956, était achevée la reconstruction en style baroque dresdois des côtés est et ouest de l'Altmark. Cette partie de Dresde est aussi redevenue un quartier marchand très attrayant, avec la réalisation de l'Altmark-galerie, un des plus beaux centres commerciaux d'Europe, qui abrite plus de 100 magasins et établissements de restauration.

Das Neue Rathaus mit dem mächtigen Rathausturm, Goldenes Tor, Rathausmann und Treppenhaus

Rathaus (Town Hall) • Hôtel de ville

Das Dresdner Rathaus steht an keinem zentralen Platz der Stadt, ist jedoch, durch den fast fünf Meter großen Goldenen Mann, der seine hohe Kuppelspitze krönt, weithin erkennbar. Segnend streckt der Rathausmann mit Füllhorn die Hand über Dresden aus; er ist eines der Wahrzeichen der Stadt. Das Gebäude im Stil der Neorenaissance vom Anfang dieses Jahrhunderts ist innen reichhaltig geschmückt und hat eine repräsentative Treppenhalle. Die prunkvolle Ausmalung der Kuppel besorgte 1910 Otto Gussmann. Das Ratsherrenstübchen verzierte Paul Rössler.

Dresden's Town Hall is not centrally situated but can be seen from afar thanks to the almost five-metre-high Golden Man atop its vaulting dome. He holds out his hand in blessing over the city, a Rathausman like a Herkules with a horn of plenty, one of the symbols of the city. The early 20th-century neo-Renaissance building is richly decorated on the interior and has an impressive stairway. The sumptuous painting in the dome is by Otto Gussmann (1910). The councillors' room was decorated by Paul Rössler.

L'hôtel de ville de Dresde construit au XXe siècle dans le style néo-Renaissance ne se trouve pas sur une des places centrales de la ville. Cependant, on le reconnaît de loin grâce à la statue dorée (der Goldene Mann) de presque 5 mètres de hauteur, qui tient une corne d'abondance. L'Homme d'or bénit les habitants de Dresde et sert d'emblème à la ville. Les peintures somptueuses de la coupole ont été réalisées en 1910 par Otto Gussmann et la salle du conseil par Paul Rössler.

Unumstritten ist die moderne Architektur der Prager Straße nicht, die Dresdner kümmert das jedoch wenig. Sie haben sich auf der „Prager" zwischen Wasserbassins und Springbrunnen, Bänken, Blumen und Skulpturen eingerichtet. – Außerhalb der Barock-Altstadt wurden seit der Wende einige innovative und architektonisch reizvolle Bauten errichtet, welche das Stadtbild beleben und junge Leute anziehen. Sie bilden einen wohltuenden Kontrast zu den in der City noch vielfach vorhandenen restaurierten Bauten aus der DDR-Zeit.

The architecture of the modern Prager Street is not very prepossessing or appealing but the Dresdeners are not bothered about that. They have become used to their "Prager", its ponds and pools, fountains, benches, flowers and sculptures. – Outside of the Baroque old city many innovative and architecturally interesting buildings have been erected since the fall of the Wall in 1989. They have enlivened the cityscape and drawn young people, presenting a pleasant contrast to the numerous concrete tower blocks built during the GDR era still present in the centre of the city.

L' architecture de la Prager Strasse est toujours controversée par les experts, mais les Dresdois n'en ont cure. Entre-temps, ils ont accepté la « Prager » et s'y sentent bien entre les fontaines, les bassins, les bancs et les bacs de fleurs. – À l'extérieur de l'Alstadt baroque, plusieurs projets d'architecture innovatrice ont vu le jour depuis la réunification des deux Allemagne. Ces nouveaux lieux ont revivifié la physionomie de la ville, attirent un public jeune, et sont surtout des contrastes intéressants avec les quartiers dé emmeubles locatifs restaurés, encore si nombreux dans la ville, héritages de la RDA.

Das 1891 gegründete Stadtmuseum präsentiert die umfangsreichsten Sammlungen zur Kultur- und Kunstgeschichte Dresdens. Zu den ausgestellten Objekten gehören drei historische Stadtmodelle, das älteste Dresdner Stadtsiegel von 1309 sowie das aus der Kreuzkirche stammende Tafelgemälde „Zehn Gebote" von Hans dem Maler (1528/29).

The Stadtmuseum (City Museum), founded in 1891, displays the most complete and diverse collection on the cultural and artistic history of Dresden. Three historical models of the city, the oldest Dresden city seal from 1309 and the panel painting "The Ten Commandments" by Hans the Maler (1528/29) are among the exhibits.

Fondé en 1891, le musée municipal (Stadtmuseum) renferme des collections qui racontent l'histoire de Dresde. On peut y admirer trois maquettes historiques de la ville, le plus ancien sceau de Dresde datant de 1309, ainsi que le tableau d'autel « Les Dix Commandements » à l'origine dans la Kreuzkirche, peint par Hans der Maler (1528/29).

Eine Renaissance der gleichnamigen Epoche erlebte Dresden, als das „Churfürstlich-Sächsische Hofreitturnier" in den Stallhof einlud. Ringelstechen der Ritter, Kutschenrennen der Damen, Gaukler, Hökerer – das ganze Programm wie 1591. Damals war man es leid, für jedes Turnier die halbe Stadt umzubauen und hatte zwei Tonnen Gold investiert, damit das ritterliche Kräftemessen in angemessener Umgebung stattfinden konnte. Auch das Stallhöfische Adventsspektakel lässt die mittelalterliche Welt der Gaukler und Musiker sowie die historischen Handwerkskünste alljährlich wieder auferstehen.

Dresden experienced something of a renaissance when the Saxon Royal Equestrian Tournament took place in the Stallhof, or court stables. Jousting, ladies' carriage races, entertainers and stallholders were laid on, just as in bygone days. It was undoubtedly tiresome for people in those days as half the city had to be rebuilt and tons of gold were spent to make the venue suitable for this massive equestrian fair. The annual Advent celebrations at the court stables also have a medieval flavour, with entertainers, musicians and traditional handicrafts.

Dresde organisait des festivités faisant revivre l'époque médiévale. Tournois et joutes, courses de voitures à cheval des dames, bateleurs, marchands forains – tout le programme, comme en 1591. À cette époque, las d'avoir à faire transformer la moitié de la ville en place de tournoi pour chaque manifestation, les seigneurs avaient investi deux tonnes d'or dans la construction du Stallhof, où les chevaliers pourraient enfin mesurer leurs forces dans un cadre noble. À l'heure actuelle, la fête annuelle de l'avent, avec des musiciens, des bateleurs et des artisans d'arts historiques, fait également revivre le monde médiéval.

Coselpalais, Grand Café und Restaurant

Cosel Palace, Grand Café and restaurant • Palais Cosel, café et restaurant

Auf dem Gelände des alten Pulverturms ließ sich Johann Christoph Knöffel von 1744 bis 1746 zwei fünfgeschossige Gebäude errichten. 1760 durch das preußische Bombardement stark beschädigt, erwarb 1762 Graf Friedrich August von Cosel das Palais und ließ es von J. H. Schwarze mit zwei angesetzten Flügelbauten und dem Festsaal im zweiten Stock ausbauen. Im Stil des Rokoko wurde der Ehrenhof mit Gitterwerk und hohen Sandpfeilern geschlossen. Nach der völligen Zerstörung 1945 wurde es wieder rekonstruiert und als Restaurant und Café eröffnet.

On the grounds around the old Powder Tower, Johann Christoph Knöffel had two five-story buildings erected between 1744 and 1746. These were heavily damaged by Prussian bombardment in 1760. In 1762 Earl Friedrich August purchased the Palace from Cosel and commissioned J. H. Schwarze with the remodelling, which included two additional wings and a ball room on the second floor. The honour courtyard was enclosed in Rococo style with lattice work and high pillars. After the completel destruction in 1945 the Reconstruction began and the building was reopened as a restaurant and café.

À l'emplacement de l'ancienne poudrière, près de la Frauenkirche, Johann Christoph Knöffel fit construire, entre 1744 et 1746, une résidence de cinq étages qui fut toutefois très endommagée en 1760, durant l'assaut des Prussiens. En 1762, Décompte Friedrich August von Cosel acheta le palais et le fit agrandir de deux ailes par J.H. Schwarze qui y aménagea également une vaste salle de réception au deuxième étage. La cour d'honneur était fermée avec de hautes colonnes et des éléments de fer forgé selon le style rococo. Une famille de riches bourgeois acheta le palais Cosel au XIXe siècle.

Eine steinerne Brücke verbindet das Schloss an der Südseite mit dem Taschenbergpalais. Friedrich August I. ließ 1706/11 den Barockpalast für seine Mätresse Gräfin Cosel auf dem Taschenberg errichten. Ab 1719 bis Anfang des 20. Jahrhunderts diente es dem jeweiligen Kronprinzen als Wohnort, damals auch Prinzenpalais genannt. Nach der Zerstörung 1945 wurde das Taschenbergpalais für das Hotel Kempinksi wieder aufgebaut. Somit ist der Bau nach historischen Vorlagen in seiner ganzen Schönheit wiedererstanden.

A stone bridge links the southern side of the Palais to the Taschenberg Palace. Friedrich August I had the baroque palace built for his mistress Countess Cosel from 1706-1711. From 1719 until the beginning of the 20th century it served as the Crown Prince's residence, hence the former name Prince's Palace. Destroyed in 1945, the Taschenberg Palace was rebuilt as the Kempinski Hotel. It was modelled on the historical designs. In fact the baroque inner courtyard, the vaults and the entrance hall remained largely undamaged in the war.

Un pont de pierre relie le côté sud du château au palais de Taschenberg. Le roi Frédéric-Auguste Ier le Juste fit construire le palais baroque sur le Taschenberg pour sa maîtresse la comtesse Cosel en 1706/11. À partir de 1719 jusqu'au début du XXe siècle, ce fut le lieu de résidence du prince héritier de l'époque, on l'appelait également le « palais des princes ». Après sa destruction en 1945, le palais Taschenberg fut reconstruit et, aujourd'hui, l'on peut admirer le confortable hôtel Kempinski, qui lui succéda, dans sa splendeur parfaite.

Ein Schmuckstück der Bürgerwiese ist der Mozart-Brunnen mit den drei Musen

Showpiece Mozart Fountain with Three Muses in Bürgerwiese Park • La fontaine de Mozart et des trois muses dans le parc de la Bürgerwiese

Die knapp zwei Quadratkilometer große Grünanlage von 1676 ist nur drei Kilometer südöstlich der Altstadt gelegen Der barocke Park, der zunächst halb Nutz- halb Lustgarten war, ist völlig eben und wird symmetrisch von Alleen durchzogen. Das Palais (S. 55) in der Mitte des Großen Gartens erbaute Johann Georg Starcke 1676 bis 1683 auf H-förmigem Grundriss mit zwei Ehrenhöfen nach dem Vorbild französischer Schlösser. Es gilt als Hauptwerk des sächsischen Hochbarock. Ausschließlich als Festbau ohne Küche und Heizung konzipiert, wurde es nur im Sommer genutzt.

The Baroque park lies three kilometres south-east of the Old Town. It was originally part kitchen garden and part pleasure garden and is criss-crossed with avenues. The palace (page 55) in the middle of the park was built by Johann Georg Starcke between 1676 and 1683 to an H-shaped floorplan in the style of a French chateau. It was the pinnacle of Baroque buildings in Saxony. Conceived purely for festivals and entertainments, without a kitchen or heating, it was only used in the summer months.

Le « Grosse Garten » de quelque deux kilomètres carrés est situé à troies kilomètre environ au sud-est de la Vieille-Ville. Il a aujourd'hui un style baroque, et est traversé d'allées symétriques. Le palais (p. 55) au milieu du parc est dû à Johann Georg Starcke qui le bâtit selon un plan en H entre 1676 à 1683, avec deux cours d'honneur, d'après le modèle des châteaux français. Il est considéré comme étant le chef-d'œuvre principal du haut-baroque saxon. Sans chauffage, il n'était utilisé que pour des festivités en été.

Die „Moschee" Yenidze mit bunter Glaskuppel und Minarett ließ der Industrielle Hugo Zietz 1909-1912 für sein Tabakkontor „Yenidze" bauen. Das ungewöhnliche Bauwerk ist nach einem türkischen Tabakanbaugebiet benannt. Der Entwurf orientiert sich an den Kalifengräbern von Kairo. Der Architekt Martin Hammitzsch hatte hier einen der ersten Stahlbetonskelettbauten Deutschlands errichtet und den Schornstein im Minarett versteckt. 1952 wurde die Zigaretten-Produktion eingestellt. Im Kuppelbereich kann man zu dem Restaurant „Yenidze" mit dem Fahrstuhl hochfahren.

The industrialist Hugo Zietz had the "mosque" with the colourful glass dome and minaret built between 1909 and 1912 as the "Yenidze" tobacco emporium. This unusual building is named after a Turkish tobacco-growing region with a design based on the Tombs of the Caliphs in Cairo. The architect Martin Hammitzsch designed and built it as one of the first reinforced concrete structures in Germany and hid the chimney in the minaret. Cigarette production was abandoned in 1952. An elevator takes you up to the dome area where you will find the small but good restaurant „Yenidze". The dome room was used in a different commercial way.

L'industriel Hugo Zietz fit construire entre 1909 et 1912 sa fabrique de tabac selon l'architecture d'une mosquée, avec un dôme et un minaret. L'ancienne manufacture s'appelait « Yenidze » d'après une région de culture du tabac en Turquie. Les plans de l'édifice s'orientaient sur les tombeaux des califes du Caire. L'architecte Martin Hammitzsch éleva ici la première charpente d'acier et de béton utilisée en Allemagne et dissimula la cheminée dans le minaret. La manufacture ferma ses portes en 1952. Un ascenseur conduit au restaurant gastronomique installé dans la coupole.

Blick über die goldene Sachsenkrone zur Dresdner Neustad

View across the Golden Crown of Saxon to Dresden's New Town • Vue sur Neustadt depuis le faîte du toit des Beaux-Arts avec la couronne de Saxe

Die goldene Sachsenkrone befindet sich auf dem Dach der Hochschule für Bildende Künste an der Brühlschen Terrasse mit Blick zur Dresdner Neustadt am rechten Elbufer. Rechts im Bild das Finanzministerium des Bundeslandes Sachsen und ein Stück weiter nach rechts, hinter der Carolabrücke, befindet sich die Sächsische Landesregierung (nicht im Bild). Altendresden hieß diese rechtselbische Siedlung ursprünglich. Doch am 6. August 1685 ging dieser Stadtteil in einem Großfeuer unter. Den Wiederaufbau plante Wolf Caspar Klengel, der Begründer des „Dresdner Barock", als moderne, weiträumige Stadt.

The golden crown of Saxony adorns the roof of the art college located on the Brühl Terrace with a lovely view across to Dresden New Town. The picture shows the New Town on the right bank of the Elbe with the Finance Ministry of the State of Saxony. Further to the right is the provincial government building (not in the picture) behind it the Carola Bridge. The settlement on the right bank of the Elbe was originally known as Old Dresden. The entire district burned down in the Great Fire of 6 August 1685. Wolf Caspar Klengel, the founder of the Baroque in Dresden, created a modern spacious city.

L'école des beaux-arts se trouve sur l'avenue Brühlsche Terrasse. Depuis son toit orné de la couronne de Saxe, o a une vue splendide sur la ville. La photographie montr une perspective de la Neustadt sur la rive droite de l'Elbe avec le ministère des finances de l'État de Saxe. Un peu plu loin, à droite, derrière le pont « Carolabrücke » se dress le gouvernement de Saxe, qu'on ne voit plus sur la photo À l'origine localité de la rive droite de l'Elbe, appelée Altendresden, et détruite par un incendie le 6 août 1685 le quartier de la Neustadt fut ensuite reconstruit par Wo Caspar Klengel, le fondateur du « baroque dresdois ».

Reiterstandbild August der Starke vor seiner „Neuen Königsstadt“

Equestrian statue of August the Strong in front of his "Neue Königsstadt" • Statue équestre d'Auguste le Fort devant sa « nouvelle ville royale »

FRID.AVGVSTI II
DVCIS SAXON.S.R.I.ELECTORIS
NEC NON REGIS POLONIAE CVRA
PATRI ET ANTECESSORI

Die Hauptstraße – eine der Prachtstraßen der Neustadt

The Main Street – a splendid street in the Neustadt (New Town) • La Hauptstrasse – boulevard prestigieux du quartier de Neustadt

Nachdem 1685 die rechtselbische Siedlung Altendresden fast völlig abgebrannt war, wurde der Alte Marktplatz in der Neuen Königsstadt der Augusteischen Zeit (1694-1763) wesentlich erweitert. Seit einer Aufschüttung im Jahr 1738 ist er auch weitgehend hochwasserfrei. Im Straßensystem der Neustadt nahm er nun eine zentrale Stellung ein – zum Einen als baukünstlerisch ausgestalteter Brückenkopf der Augustusbrücke, zum Anderen als Vorplatz der Hauptstraße, als barocke Prachtstraße dieses Stadtteils mit dem goldenen Reiterdenkmal Augusts.

After the settlement of Altendresden on the right bank of the Elbe almost completely burned down in 1685, the Alter Marktplatz (Old Market Square) in the new royal city of the Augustinian era (1694-1763) expanded considerably. A landfill in 1738 resulted in an area of land above the flood line. In the street system of the new city the Alter Marktplatz played a central role – on the one hand as the architecturally designed bridge head of the Augustus Bridge, on the other hand as the forecourt for the Hauptstrasse (main street) with the golden rider monument of August the Strong.

Après l'incendie de 1685 qui détruisit presque entièrement la localité d'Altendresden sur la rive droite de l'Elbe, la « nouvelle ville royale » d'Auguste (1694-1763), s'agrandit encore davantage, notamment le quartier de l'Altmarkt. Dès cette époque, il occupa une position centrale dans l'urbanisme de la « Neustadt », d'une part comme coeur du quartier historique, tête de pont de l'Augustusbruecke, d'autre part comme place ouvrant sur l'artère principale, avec la statue équestre d'Auguste le Fort.

Biedermeier im „Kügelgen"-Haus – Museum zur Dresdner Frühromantik

Biedermeier style in Kügelgen House – Museum of Early Dresden Romanticism • Neustadt - style Biedermeier et romantisme au musée « Kügelgen »

Das Kügelgenhaus in der Hauptstraße auf der Neustädter Seite Dresdens hat eine der am besten restaurierten Fassaden der Stadt. In der zweiten Etage des barocken Bürgerhauses, das Ende des 17. Jahrhunderts erbaut wurde, befindet sich das Museum zur Dresdner Romantik. Benannt wurde das Haus nach dem bekannten Porträt- und Historienmaler Gerhard von Kügelgen, der es von 1808 bis 1820 mit seiner Familie bewohnte. 1813 war Johann Wolfgang von Goethe zu Gast und betrachtete von hier aus den Einzug der russischen und preußischen Truppen, die zur Völkerschlacht nach Leipzig gegen Napoleon unterwegs waren.

The Kügelgenhaus on the main street of the New City has one of the best restored facades in the city. The Museum of Dresden Romanticism is housed on the second floor of this baroque building dating from the end of the 17th century. The building was named after the portrait and historical painter Gerhard von Kügelgen, who lived here from 1808 to 1820. Johann Wolfgang von Goethe was a visitor here in 1813, and observed the approach of the Russian and Prussian troops converging for the Battle of Nations against Napoleon.

La maison Kügelgen dans la Hauptstrasse possède l'une des façades les mieux restaurées de la ville. Au 2e étage de cette maison patricienne baroque, construite au XVIIe siècle, se trouve un musée consacré au préromantisme saxon. Cette maison fut nommée d'après le portraitiste et peintre historique Gerhard von Kügelgen qui l'habita avec sa famille de 1808 à 1820. En 1813 Goethe, hôte de la maison, put observer l'entrée des troupes russes et prussiennes se dirigeant vers Leipzig pour aller combattre Napoléon.

Palaisplatz mit Blick in die Königstraße – eine der schönsten Barockstraßen Dresdens

Palace square, looking towards Königstrasse, one of Dresden's finest Baroque streets • Place du Palais et Königstrasse – magnifique rue baroque

Finanzkräftige Investoren ließen die alte Königstraße mit ihren barocken Palais wieder auferstehen. Doch hohe Grundstückspreise und teure Sanierungsauflagen haben die Mieten in die Höhe getrieben. Einst lebten hier wohlhabende Dresdner Bürger, nun haben sich zumeist Banken, Rechtsanwälte, Architekten, Makler- und Versicherungsbüros eingekauft. Es gibt auch hübsche kleine Läden und Lokale. Nachdem nun die Königstraße ihr historisches Gesicht zurückerhalten hat, blüht die innere Neustadt wieder auf.

Wealthy industrialists paid for the old Königstrasse and its baroque palaces to be rebuilt. High property prices and expensive infrastructure costs let rents sky-rocket. Prosperous Dresden citizens once lived here but nowadays banks, lawyers, architects, brokers, estate agents and insurance companies are more likely to be found. You can also find lovely shops and restaurants. Now that Königstrasse has had its historic facelift, the centre of the New Town is blossoming again.

Des investisseurs ont fait renaître l'ancienne Königstrasse bordée d'édifices baroques. La valeur du terrain et les coûts de réhabilitation ont fait s'envoler les loyers et les prix des maisons. Les bourgeois fortunés de Dresde vivaient ici autrefois. Aujourd'hui, banques, compagnies d'assurances, cabinets d'avocats et bureaux d'architecture s'y sont installés. Pour autant, on y trouve de plus en plus de boutiques et autres établissements branchés. Après que la Königstrasse a retrouvé sa physionomie historique, le cœur de la Neustadt vit une renaissance.

Das Museum für Völkerkunde befindet sich im Japanischen Palais
The Museum of Ethnography is housed in the Japanese Palace • Musée d'ethnologie dans le Palais Japonais

Zahlstelle.

Neustädter Markthalle von 1899

Neustädter market hall, dating from 1899 • Halle du marché de 1899 dans le quartier de Neustadt

An der Ecke Bautzener Straße 79 befindet sich das legendäre Geschäft „Pfunds Molkerei", mit einer großen Käseauswahl und exzellenten Weinen. Der gesamte Innenraum des Milchladens ist mit rund 3.500 farbig bemalten Jugendstilfliesen ausgelegt, dafür gab es den Eintrag ins Guinness-Buch der Rekorde. — Einem überdimensionalen Marktplatz gleich, setzte die Neustädter Markthalle mit ihren 80 Metern und über 200 Verkaufsständen 1899 Zeichen für ein neues Zeitalter. Der Sandsteinbau aus der Gründerzeit wurde nun nach seiner Sanierung rund hundert Jahre später wieder ein Zeichen der neuen Zeit.

The famous Pfund Dairy is on the corner of Bautzener Strasse, at No. 79. It is well worth a visit with a large selection of cheeses and excellent wines and an upstairs café-restaurant where specialities can be sampled. The interior and floor of the dairy are covered in some 3500 painted Art Nouveau tiles, meriting an entry in the Guinness Book of Records. — The huge Neustädter market hall, eighty metres in length and housing over two hundred market stalls, resembles an oversized market place. It was built of sandstone in 1899 and was regarded as heralding a new age for Germany. One hundred years later it was fully restored.

Au numéro 79 de la Bautzener Strasse, se trouve le crémerie « Pfund », réputée pour son prodigieux assortiment de fromages, ses vins excellents, mais aussi pour sa décoration intérieure. Les murs et le sol sont recouverts de 3500 carreaux de faïence peints de motifs art nouveau, un décor qui lui a valu d'entrer dans le livre Guinness des Records. — Située dans le quartier de Neustadt, l'immense halle du marché longue de 80 mètres abrite plus de 200 stands et étals . L'édifice construit en grès en 1899 était très moderne pour l'époque. Après avoir été entièrement réhabilité 100 ans plus tard, il est de nouveau une véritable Mecque.

Prinz Albrecht von Preußen ließ dort wo der Schotte Lord Jacob Findlater sich zu Beginn des 19. Jahrhundert ein Landhaus hatte bauen lassen, dessen Vollendung er nicht mehr erlebte, vom preußischen Landbaumeister Adolph Lohse 1851-1854 Schloss Albrechtsberg errichten. Vor dem Sandsteingebäude mit quadratischen Seitentürmen führen Treppen abwärts zum „Römischen Bad" mit 16 korinthischen Säulen, märchenhaft ist auch das „Türkische Bad".

The master builder Adolph Lohse built Albrechtsberg Palace for Prince Albrecht of Prussia between 1851 to 1854 on the site of a country house, built by the Scottish Lord Jacob Findlater in the early 19th century. In this sandstone building with square corner turrets a staircase leads to a "Roman Bath" room with 16 Corinthian columns, the fairy-tale Turkish Bath is also a dream.

Là où un Écossais, Lord Jacob Findlater, avait entrepris, au début du XIXe siècle, la construction d'un manoir, mais mourut avant qu'il ne soit achevé, le prince Albert de Prusse fit ériger de 1851 à 1854 le Schloss Albrechtsberg, œuvre de l'architecte prussien Adolph Lohse. L'escalier extérieur de l'édifice bâti en grès et flanqué de tours carrées mène entre autres « Römisches Bad » (bains romains) de 16 colonnes corinthiennes. Le « Türkisches Bad » est un véritable enchantement.

Schloss Albrechtsberg, der prächtige Kronensaal
Schloss Albrechtsberg, showing the splendid Crown Room • Château d' Albrechtsberg, ancienne salle du trône

Schloss Albrechtsberg, die zauberhafte Atmosphäre im Türkischen Bad

Schloss Albrechtsberg, the exotic atmosphere of the Turkish Baths • Château d'Albrechtsberg, ambiance exotique dans les bains turcs

Lingner-Schloss und Schloss Eckberg an den Elbhängen

Lingner Palace and Eckberg Palace on the banks of the Elbe • Les châteaux Lingner et Eckberg sur les versants de l'Elbe

Für den Baron von Stockhausen, Kammerherr des Prinzen Albrecht von Preußen, baute auch der Architekt Adolph Lohse neben dem Schloss Albrechtsberg die spätklassizistische Villa Stockhausen. 1906 wurde sie nach ihrem neuen Besitzer, dem Stifter des Hygiene-Museums, zum Lingner-Schloss umbenannt. Karl August Lingner wurde in einem Mausoleum unterhalb des Schlosses beigesetzt. Die Villa wurde nach 1945 „Klub der Intelligenz". In seinem Testament hatte Lingner verfügt, dass eine Gaststätte „mit bürgerlichen Preisen" einziehen sollte. Im Ostflügel befindet sich heute ein Café.

The architect Adolph Lohse also built the late-Gothic Stockhausen Villa beside Albrechtsberg Palace for Baron von Stockhausen, the prince's chamberlain Albrecht of Preussen. Its next owner, the founder of the Hygiene Museum, renamed it the Lingner Palace in 1906. Karl August Lingner is buried in a mausoleum beneath the palace. The Villa later became a club for intellectuals. Lingner had stipulated in his will that only a restaurant with prices affordable to ordinary citizens should be permitted on site. The east wing has now a café .

Située à côté du château d'Albrechtsberg, la résidence « Stockhausen », de style néoclassique, fut bâtie par l'architecte Adolph Lohse pour le baron de Stockhausen, chambellan du souverain Albrecht von Preussen. En 1906, elle était rebaptisée Lingner-Schloss d'après le nom de son nouveau propriétaire, donateur du musée de l'Hygiène. Le mausolée qui se dresse en bas du château est le tombeau de Karl August Lingner. La résidence abrita d'abord le « Club de l'intelligence ». Dans son testament, Lingner avait dicté qu'un restaurant « avec des prix raisonnables » y soit installé.

Romantisches Schloss-Hotel Eckberg mit großer Parkanlage

Romantic Hotel Eckberg Palace with landscaped gardens • Le château d'Eckberg – hôtel romantique dans un parc luxuriant

Das heutige romantische Luxushotel Schloss Eckberg baute einst der Semperschüler Christian Friedrich Arnold in der Zeit von 1859-1861. In dem Bau dieses neugotischen Schlosses im Tudorstil kann man in traumhafter Parklage und Ausblick auf Dresden königlich logieren.—Scheinbar leicht wie eine Feder schwingt sich das Brückenbauwerk, wegen seiner Farbe „Blaues Wunder" genannt, über die Elbe. Obwohl eine Stahlkonstruktion der Moderne, passt sie sich harmonisch in die Loschwitzer Kulturlandschaft ein. Um den Höhenunterschied (547 m) zu überwinden, entstand von 1898 bis 1901 eine Schwebeseilbahn.

Eckberg Palace, built between 1859 and 1861 by one of Semper's pupils Christian Friedrich Arnold, has now been transformed into a romantic luxury hotel. At this neo-Gothic palace in the Tudor style you can stay in regal splendour amidst fantastic parkland and with a great view to Dresden. — The bridge, called the Blue Miracle on account of its colour, spans the Elbe almost as lightly as a feather. Although a relatively modern construction (1893), it blends in well with Loschwitz's traditional surroundings. To carry people up the hill, an aerial cableway was built between 1898 and 1901.

Aujourd'hui hôtel de luxe, Schloss Eckberg fut érigé entre 1859 et 1861 par Christian Friedrich Arnold, élève de Semper, pour l'industriel Souchay. Construit en grès blanc et jaune, le château de style Tudor, néogothique, est entouré d'un parc aménagé à l'anglaise, de 15 hectares. — En apparence aussi léger qu'une plume, le pont appelé « Merveille bleue » à cause de sa couleur s'élance au-dessus de l'Elbe. Construction en acier de l'ère moderne (1893), le pont s'intègre néanmoins harmonieusement dans le paysage de Loschwitz. Un téléphérique funiculaire a été construit entre 1898 et 1901.

Von der idyllischen Landschaft am Elbhang zwischen Loschwitz und Pillnitz fühlten sich Maler und Bildhauer, Musiker und Dichter gleichermaßen angezogen. Schoppenhauer und E.T.A. Hoffmann, Casper David Friedrich und Jean Paul, Schiller und Körner haben sich hier inspirieren lassen. Das Bild zeigt das Leonhardi-Museum in Loschwitz. Einst als Künstlerquartier gedacht, ließ der Maler Eduard Leonhardi das Haus 1879 von seinem Freund Palmié kunstvoll verzieren. Heute fungiert das Haus als Galerie mit Ausstellungen zeitgenössischer Kunst.

It was then and still is a fashionable and desirable residential area. Painters, sculptors, musicians and poets were all drawn to the idyllic countryside between Loschwitz and Pillnitz. Schoppenhauer and E.T.A. Hoffmann, Caspar David Friedrich and Jean Paul, Schiller and Körner all took insipiration from it. The picture shows the Leonhardi Museum in Loschwitz. Bought in 1879 and originally conceived as a centre for the arts, the painter Eduard Leonhardi had it extravagantly decorated by his friend Palmié. Today it is a gallery exhibiting contemporary art.

La nature idyllique des versants de l'Elbe, entre Loschwitz et Pillnitz, a attiré nombre de sculpteurs, musiciens et poètes. Schoppenhauer et E.T.A. Hoffmann, Caspar David Friedrich et Jean Paul, Schiller et Körner sont venus ici chercher l'inspiration. L'image montre le Leonhardi-Museum à Loschwitz. L'édifice est l'ancienne demeure du peintre Eduard Leonhardi qui la fit superbement décorer en 1879 par son ami Palmié. Aujourd'hui, la maison est également une galerie présentant des expositions d'art contemporain.

Eine Fahrt entlang des Elbtals von Meißen ins Elbsandsteinbirge

A tour along the Elbe Valley from Meissen to the Elbsandsteingebirge • La vallée de l'Elbe, de Meissen à la Elbsandsteingebirge

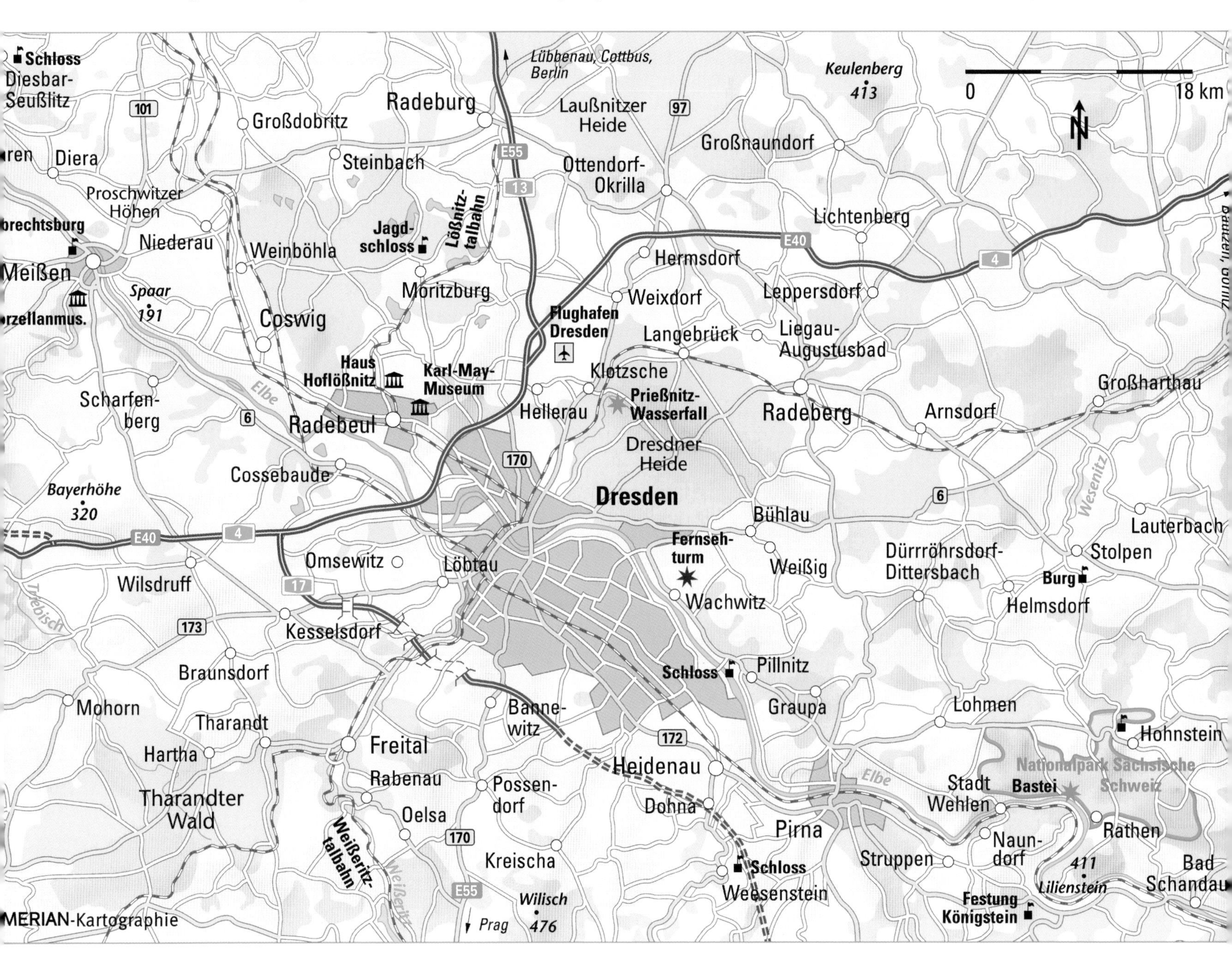

Der Meißner Dom aus dem Mittelalter erhebt sich majestätisch auf dem Burgberg. Der spätgotische Dom ist mit lebensgroßen Stifterfiguren aus der Naumburger Werkstatt (um 1260) ausgestattet. Sein kunstvolles Altargemälde stammt aus der Werkstatt Lucas Cranach d. Ä. (1526), das Kruzifix und ein Altarleuchter sind aus Meißner Porzellan (1760).

The medieval cathedral sits on the Hill Burgberg. The life-size statues of the church founders were made around 1260 in the Naumburg workshops. The altarpiece comes from the workshops of Lucas Cranach the Elder (1526), the crucifix and the altar candlesticks are made of Meissen porcelain (1760), and the precious stained glass windows set the whole thing off wonderfully.

La cathédrale de Meissen, construite à l'origine au moyen-âge, se dresse sur la colline du Burgberg. Elle est ornée des statues de grandeur naturelle des donateurs, réalisées vers 1260 par l'atelier de Naumburg. Le tableau d'autel provient de l'atelier du célèbre Lucas Cranach l'Ancien (1526). Le crucifix et un chandelier d'autel sont en porcelaine de Meissen et datent de 1760.

Meissen, Wandgemälde in der Albrechtsburg mit dem Alchimisten J. F. Böttger und Kurfürst August I.

Meissen, wall painting in Albrechtsburg • Meissen, fresque dans l'Albrechtsburg

Die Entführung des jungen Alchimisten Johann Friedrich Böttger 1701 aus Wittenberg kann als einer der wenigen Erfolge Sachsens über Preußen gewertet werden. Sowohl König August als auch Friedrich I. hofften begierig auf künstliches Gold für das schlaffe Staatssäckel. Böttger wurde auf dem Königstein im Labor festgesetzt, eine tragische Figur im Dienste der Macht. Der Hofgelehrte Tschirnhaus, der als eigentlicher Wegbereiter der europäischen Porzellanherstellung gilt, rät ihm und August schließlich, vom Gold abzulassen und ganz auf das „Nebenprodukt" Porzellan zu setzen.

The abduction of the young alchemist Johann Friedrich Böttger from Wittenberg in 1701 was a rare Saxon triumph over Prussia. King August as well as King Friedrich I greedily hoped that imitation gold would swell their depleted state coffers. The alchemist Böttger laboured at Königstein, a tragic character forced into service by those in power. The court scholar Tschirnhaus paved the way for porcelain manufacture when he advised them to give up their quest for gold and to put all of their efforts into a new product, porcelain.

L'enlèvement en 1701 du jeune alchimiste Johann Friedrich Böttger de Wittenberg en Prusse est un des rares succès de la Saxe sur les Prussiens. Le roi Auguste et Frédéric 1er, son homologue prussien, attendaient ardemment la découverte de l'or artificiel pour remplir les caisses de l'État. Böttger fut mis à l'œuvre dans le laboratoire du Königstein. Tschirnhaus, un érudit de la cour – qui serait en fait le véritable pionnier de la fabrication européenne de porcelaine – conseilla au jeune savant, puis à Auguste d'oublier l'or pour se concentrer sur le « sous-produit » porcelaine.

„Weißes Gold" wurde das wundervoll feste und gleichzeitig so zauberhaft filigrane Material genannt. Meister des Porzellans war, neben dessen Erfinder Johann Friedrich Böttger (1685-1719), der vielgerühmte Johann Joachim Kändler. 1731 an die Meißner Manufaktur berufen, entwickelte er erstmals in Europa die Porzellanplastik. Anfangs fertigte Kändler Großplastiken (Tiere) oder Porträts an, später figürliche Kleinplastiken. Die Sofagruppe stammt aus dem Jahr 1737.

White Gold was the name given to the amazingly strong and at the same time so enchantingly delicate material. Alongside its "inventor", Johann Friedrich Böttger (1685-1719), it is the name of Johann Joachim Kändler that is most associated with it. Appointed in 1731, he was the first one to develop porcelain sculptures in Europe. In the beginning Kändler created large sculptures (animals) or portraits, later on smaller figures. The sofa group dates from 1737.

Outre « l'inventeur » de la porcelaine Johann Friedrich Böttger (1685-1719) le très célèbre Johann Joachim Kändler fut un maître incontesté dans l'art de travailler « l'or blanc ». Depuis son arrivée en 1731, Kändler créait principalement des figurines de grande taille (animaux) et des bustes, plus tard des pièces figuratives plus petites. Le sofa date de 1737.

Der Kaminkrug mit Schneebällen ist von 1739. Unermesslich fantasiereich sind die Formen von Geschirr, Tafelschmuck, Vasen und Gefäßen, die unter der Ägide von Kändler in Meißen erdacht und gefertigt wurden. Seit 1863 entstehen die Teller und Figuren nicht mehr in der Albrechtsburg, wo die erste Manufaktur das Geheimnis der weißen Rezeptur hüten sollte, sondern in der neuen Werkstatt im Triebischtal.

The fire-side jug with snowballs dates from 1739. Immensely imaginative are the shapes of the crockery, table decorations, vases and vessels that were thought up and created under the aegis of Kändler in Meissen. The Albrechtsburg was built to guard the secrets of the precious white material's production. In reality the famous plates and figurines have not been produced in the Albrechtsburg since 1863, but rather in the workshops in Triebischtal.

La vaisselle, les décorations de table, les vases et pots créés et fabriqués à Meissen sous l'égide de Kändler (depuis son arrivée en 1731) témoignent d'une imagination créatrice fertile. Depuis 1863, les célèbres figurines et services de table ne sont plus manufacturés dans l'Albrechtsburg, dont les murs gardaient jalousement le secret de fabrication de la porcelaine, mais dans la nouvelle manufacture de Triebischtal.

Eines der berühmtesten Jagdschlösser August des Starken steht in Moritzburg. Die geschlossene symmetrische Schloss- und Parkanlage thront inmitten einer natürlichen Seen- und Teichlandschaft, 15 Kilometer von Dresden entfernt. Das herrliche, barocke Schloss hat vier wuchtige Türme und eine Kapelle. Nicht nur jagdlichen Vergnügungen frönte König August, auch zahlreiche andere Festivitäten und Bälle fanden im Moritzburger Schloss statt. Davon künden die vier Prunksäle innerhalb des Hauses – im Bild der Monströsensaal.

One of the most famous hunting castle of August the Strong stands in Moritzburg. The compact, symmetrical palace and park are enthroned in the midst of a natural landscape of lakes and ponds, 15 kilometres away from Dresden. The splendid baroque palace has four mighty towers and a chapel. King August did not just indulge in the pleasures of hunting; numerous festivities and balls also took place at Moritzburg. The four state-rooms inside the building are an indication of this, the Monströsensaal is just one example.

L'un des plus célèbres châteaux de chasse d'Auguste le Fort se trouve à Moritzburg à 15 kilomètres de Dresde. Le château et le parc sont intégrés dans un paysage naturel de lacs et d'étangs. Le magnifique château baroque possède quarte tours imposantes et une chapelle. Le roi Auguste n'appréciait pas seulement les plaisirs de la chasse; le château de Moritzburg servait aussi de cadre à de nombreuses festivités et à des bals. Les salles d'apparat richement décorées de cette demeure en témoignent avec leurs plafonds en stuc doré et leurs lustres surchargés.

Schloss Pillnitz – das heiterste der Dresdner Schlösser

Pillnitz Palace – the most cheerful of Dresden's palaces • Château de Pillnitz – le plus séduisant des châteaux de Dresde

Pillnitz wurde 1950 nach Dresden eingemeindet. Seitdem gehört das heiterste der Schlösser als ein beliebtes Ausflugsziel zur Stadt. Schloss und Park Pillnitz hatte August der Starke 1706 seiner Mätresse Anna Constantia Gräfin von Cosel geschenkt und 1718 zurückgefordert – anschließend ließ er es erweitern. Mehr als 100 Jahre hat es gedauert, bis die Anlage so, wie sie heute aussieht, entstanden ist. Berg- und Wasserpalais hat Matthäus Daniel Pöppelmann 1720-1724 in der damaligen Chinoiseriemode erbaut. Eine breite Elbtreppe führte einst zu den kurfürstlichen Gondeln. Von 1768 bis 1918

Pillnitz, the loveliest of the palaces and most popular visitor attraction, was incorporated into Dresden in 1950. August the Strong gave palace and park at Pillnitz to his mistress Anna Constantia Countess von Cosel in 1706 and then demanded it back in 1718. Matthäus Daniel Pöppelmann built the Berg (mountain) Palace and the Wasser (water) Palace between 1720 to 1724 in the chinoiserie style popular at that time. A wide staircase once led to the royal gondolas on the Elbe. Pillnitz remained the favourite summer residence of the Wettin rulers from 1768 until 1918. The palace gardens were enlarged between 1778

La commune de Pillnitz a été réunie à Dresde en 1950. Depuis la ville s'est enrichie non seulement d'un délicieux château, mais aussi d'un but d'excursion très prisé. Auguste le Fort avait offert le château entouré d'un superbe parc à sa favorite, la comtesse Anna Constantia von Cosel en 1706, et le lui reprit en 1718. Il le fit ensuite agrandir. Le château fut transformé pendant plus de cent ans avant d'acquérir sa forme actuelle. Les parties appelées « Berg- et Wasserpalais » furent construites par Matthäus Daniel Pöppelmann entre 1720 et 1724, dans un style asiatique, alors en vogue. Un large escalier vers l'Elbe menait aux

ollte Pillnitz bevorzugte Sommerresidenz der Wettiner leiben. 1778-1791 wurde der Schlosspark im englischen til erweitert. August der Starke war gerade in Dresden, als in Haus brannte, wohin er sich unverzüglich fahren ließ. ine junge Frau – Anna Constantia, derzeitig verheiratete Madame Hoym – leitete die Löscharbeiten: zupackend, ouverän, eine Schönheit mit dunklen, lebendigen Augen nd einer perfekten Figur. Hundert Tage belagerte ugust die Dame seines Herzens, überhäufte sie mit ufmerksamkeiten und Gunstbeweisen. Erst nachdem er r ein geheimes Eheversprechen gab, willigte sie ein.

and 1791 in the style of an English landscape garden. August the Strong came by chance upon a house fire in Dresden and went to the rescue. A young married woman – Anna Constantia known as Madame Hoym – was directing efforts to extinguish the fire. She was outspoken, commanding and beautiful, with lively dark eyes and a perfect figure. August besieged her defences for a hundred days, showering her with attention and favours. Only when he had signed a secret marriage contract which ensured her rightful succession as the Elector's consort and queen did the beauty capitulate.

gondoles princières. De 1768 à 1918, le château de Pillnitz fut la résidence d'été préférée des souverains Wettiner. Auguste le Fort séjournait à Dresde quand la résidence d'un de ses hauts fonctionnaires prit feu. Il se fit immédiatement conduire sur les lieux de l'incendie. La jeune maîtresse de maison dirigeait les opérations d'extinction du feu – énergique, souveraine, une beauté aux yeux noirs de feu et au corps sublime. Après un « siège » de cent jours, durant lesquels Auguste couvrit l'élue de son cœur d'honneurs et de cadeaux, puis une promesse secrète de mariage, elle céda enfin à ses avances.

Historisches Barockfest im Schlosspark von Schloss Pillnitz

Historical baroque festival on the grounds of Pillnitz Palace • Fête historique baroque dans le parc du château de Pillnitz

Wie eine Fata Morgana lag das „sächsische Sanssouci-Schloss" Pillnitz an der Elbe, unwirklich in seiner zeitlosen Schönheit und der vollkommenen Harmonie von Architektur und gestalteter Natur. Das Schloss an der Elbe, Herzstück der Ländereien, hatte elf beheizbare Säle, Weinkeller, Braukeller und eine Küche mit zehn Feuerstellen. Es fehlte an nichts, nur dass der Besitz verschuldet war. Aber das regelte August aus seiner privaten Schatulle. Wasserfesten und zahlreichen anderen Bällen kam die Lage des Schlosses unmittelbar am Ufer der Elbe entgegen.

Pillnitz Palace, Saxony's Sanssouci, lies on the Elbe like a mirage, timelessly beautiful, architecture and nature in perfect harmony. The Palace, which formed the core of the estate, had eleven heated rooms, a wine cellar, a beer cellar and a kitchen with ten fireplaces. It was perfect, except for the fact that it was burdened with debts. But August settled these out of his private coffers. The palace location directly on the Elbe made it suitable for water festivals and all sorts of balls.

Tel un mirage, le château de Pillnitz se dressait sur l'Elb semblant irréel dans sa beauté éternelle, la parfai harmonie de l'architecture et la nature redessiné par l'homme. La résidence comprenait onze salle que l'on pouvait chauffer, une cave à vins, une cave brasser la bière et une cuisine pourvue de dix foyer Le domaine offrait des conditions de vie idéale seulement il était endetté. Mais Auguste le Fort prit su sa fortune personnelle pour remédier à ce problème L'emplacement du château juste au bord de l'Elbe s prêtait merveilleusement à des fêtes et à des bals.

Ein Besuch im Barockgarten von Großsedlitz ist wie eine Reise in eine andere Zeit: Rosenrabatten säumen verschlungene Pfade, kunstvoll gefertigte Figuren aus Sandstein verstecken sich im Schatten hoher Bäume. 1719-27 ließ Graf Wackerbarth hier einen französischen Lustgarten anlegen, zum Teil im Auftrag von August dem Starken. Besonders eindrucksvoll ist die „Stille Musik", eine von Pöppelmann geschaffene Fontänenanlage mit rahmender Doppeltreppe, Puttengruppen und geschwungenen Balustraden sowie musizierenden Engeln aus Stein.

A visit to the baroque gardens of Großsedlitz is like a trip back into the past: rose beds border circuitous pathways, artistically formed sandstone figures are tucked away in the shade of tall trees. Count Wackerbarth had the pleasure gardens constructed in the French style between 1719 and 1727; partly on the behalf of August the Strong. Particularly impressive is the Stille Musik, a set of fountains created by Pöppelmann with a double stairway, groups of puttos, curving balustrades and stone musicians.

Un visite dans le parc baroque de Großsedlitz est une invitation au voyage dans une autre époque: des massifs de roses bordent les chemins, des statues de grès se cachent à l'ombre de hauts arbres. De 1719-1727 le comte Wackerbarth fit aménager ce jardin d'agrément que l'on agrandit plus tard. Le visiteur est particulièrement impressionné par un ensemble de fontaines appelé « Musique douce » créé par Pöppelmann. Un double escalier orné d'anges musiciens entoure les bassins.

Pirna liegt in so schöner Lage, dass der italienische Hofmaler Canaletto nicht davon abließ, es immer wieder auf die Leinwand zu bringen. Pirnas Stadtbild ist vom hohen Dach der spätgotischen Hallenkirche St. Maria geprägt. Freischwebendes Rippenwerk, ein Renaissancealtar aus Pirnaer Sandstein und der Taufstein mit hinreißender Kindergruppe von 1561 schmücken den Innenraum der Kirche. Gewölbemalereien mit Motiven aus dem Alten und Neuen Testament sowie dem klassischen Altertum sind zu sehen. Kleine Skulpturen, die Dämonen darstellen, dienen der Reinhaltung des Gotteshauses.

The Italian court painter Canaletto thought Pirna so beautifully situated that he captured it on canvas over and over again. Pirna's townscape is dominated by the soaring roof of the late-Gothic hall church of St Mary. The interior is decorated with freely suspended ribs, a Renaissance altar made of Pirna sandstone and the font with an entrancing group of children. Vault paintings with scenes from the Old and New Testament and from the classical antiquity can be seen. Demons, present in the form of small sculptures, are there to keep the church clean.

Pirna s'étend dans un paysage si ravissant que le peintre de cour italien Canaletto s'en servit souvent comme motif. L'église Sainte-Marie de style néo-gothique est un élément du panorama de Pirna. A l'intérieur on peut voir un autel en grès de Pirna et des fonts baptismaux avec un adorable groupe d'enfants datant de 1561. Les voûtes peintes comportent des motifs inspirés de l'Ancien et du Nouveau Testament ainsi que de l'Antiquité. De petites sculptures figurent des démons, supposés veiller à la propreté de l'église.

Nahe Pirna thront Schloss Weesenstein hoch über dem Müglitztal

Weesenstein Palace high above the Müglitz Valley near Pirna • Près de Pirna, le château de Weesenstein domine la vallée de la Müglitz

Weesenstein heißt das berühmte Schloss hoch über der Müglitz bei Pirna mit den acht Stockwerken. Die Grafen von Bünau ließen die militärisch bedeutungslos gewordene Burg aus dem 14. Jahrhundert zu einem Schloss ausbauen. Die ältesten Teile von Schloss Weesenstein wurden direkt in den Felsen gehauen. Von oben nach unten gebaut, ist der höchstgelegene Teil des Hauses der Älteste. Entstanden ist eine mehrflügelige Anlage mit prächtig ausgestatteten Innenräumen und einer Schlosskapelle (von Georg Bähr 1738-41). Sehenswert ist ebenfalls die barocke Parkanlage.

Weesenstein is the name of the famous eight-storey castle high above the Müglitz near Pirna. The Counts of Bünau had the original 14th century fortress, which no longer had any military importance, turned into a residential castle. The oldest parts of Weesenstein Castle were hewn straight out of the rocks. Built from the top downwards, the highest part of the building is the oldest. A complex with several wings, a magnificently designed interior and a chapel was developed by George Bähr (1738-41). The baroque park is also of note.

Le célèbre château Weesenstein, haut de huit étages, est situé au bord de la Müglitz près de Pirna. Les comtes de Bünau firent transformer l'ancienne place forte du XIVe siècle en un château d'agrément entouré d'un parc de style baroque. Les plus anciennes parties du château furent directement taillées dans la roche. Il a été construit de haut en bas, la partie supérieure étant la plus ancienne. Ce vaste château comporte plusieurs ailes, de somptueux aménagements intérieurs dont une chapelle conçue par George Bähr (1738-41).

Mit der im Elbtal liegenden Stadt Wehlen mit ihrer Schlossruine befinden wir uns nun mitten in der Landschaft des Elbsandsteingebirges. Nach der Erschließung durch die Dampfschifffahrt und durch die Eisenbahn im 19. Jahrhundert entwickelte sich die Sächsische Schweiz zum Ausflugsziel. Wanderer schätzen die landwirtschaftliche Vielfalt, insgesamt 1200 Kilometer Wanderwege sind ausgeschildert. Bergsteiger finden Gipfel für fast alle Schwierigkeitsgrade. 1990 wurden insgesamt 93 km² als Nationalpark Sächsische Schweiz unter Schutz gestellt.

The town of Wehlen with its castle ruin lies high above the Elbe valley and sits pretty much at the centre of the Elbe sandstone mountain region. The advent of the railway and steamship travel in the 19th century made Saxon Switzerland a popular holiday destination. Wanderers appreciate the varied landscape and the 1200 kilometres of signposted trails. Climbers will find peaks of every degree of difficulty. In 1990 some 93 square kilometres of Saxon Switzerland were designated a national park.

Dominant la vallée de l'Elbe, la ville de Wehlen s'étend au cœur du massif de grès « Elbsandsteingebirge ». La Sächsische Schweiz (Suisse saxonne) devint un but d'excursion populaire à partir du XIXe siècle, avec l'arrivée des bateaux à vapeur et du chemin de fer. Les randonneurs apprécient la diversité des paysages qu'ils peuvent découvrir sur 1200 kilomètres de chemins balisés. Des sommets de degrés de difficultés différents attendent les alpinistes. En 1990, 93 km² de la Sächsische Schweiz devenaient un parc national protégé.

Carl Maria von Weber fand hier bei Rathen die Felsen-Szenerie, die als Wolfsschlucht für seine Oper „Der Freischütz" den idealen Hintergrund bot. Offensichtlich ist es die gleiche Felsen-Naturkulisse, vor der seit 1938 die Karl-May-Freilichtfestspiele stattfinden. Aber auch die Oper „Der Freischütz" wird hier laufend aufgeführt. Der ruhige Kurort Rathen ist ein idealer Ausgangspunkt für eine Wanderung auf die berühmte Bastei. Sie ist zwar auch mit dem Auto zu erreichen, aber schöner ist die fünfstündige Wanderung mit Pausen.

Rathen's mountain scenery provided the setting for the wolf's glen in Carl Maria von Weber's opera "The Free-Shooter". It may also have provided the backdrop for Karl May's plays which have been performed in the open air theatre here since 1938. The opera "The Free-Shooter" has also been staged here. The peaceful spa town of Rathen is the ideal starting point for an excursion to the famous Bastei rocks. They can be reached by car, but the five-hour ramble is much pleasanter. The Basteiweg rises some 193 metres to the rocky outcrop. There is a breathtaking view over the countryside from the look-out point.

Carl Maria von Weber trouva ici à Rathen les paysages de rochers qui l'inspirèrent pour créer le ravin du loup dans son opéra « Freischütz ». Il se peut que le paysage choisi par Weber soit le même où se déroulent depuis 1938 les représentations en plein air des récits de Karl May. L'opéra « Freischütz » est également joué dans ce décor naturel. L'opéra, composé par Weber en 1821. Rathen, ville de cure paisible, est un point de départ idéal pour une randonnée pédestre vers la célèbre Bastei. On peut certes l'atteindre en voiture, mais la marche de cinq heures avec des pauses, est très agréable.

Burg Hohnstein auf einem Felsen hoch über dem romantischen Polenztal
Hohnstein Castle high above the romantic Polenz Valley • Burg Hohnstein – le château domine le bourg et la vallée de la Polenz

Nicht nur die abenteuerlichen Felsformationen sind es, die einen Besuch der Sächsischen Schweiz zu so einem außergewöhnlichen Erlebnis machen, sondern auch ihre sagenhaften Schlösser und Burgen. Burg Hohnstein (14. Jahrhundert) galt einst als uneinnehmbar und wurde deshalb als sicherer Sitz von Raubrittern genutzt. – Der Basteifelsen gehört zum ältesten Reservat der Sächsischen Schweiz. Vom 305 Meter hohen Aussichtsplateau hat man einen traumhaften Blick über die weiten Schleifen, in denen sich die Elbe majestätisch durchs Land windet.

There is more than just the strange rock formations that make a trip to the Sächsische Schweiz ("Saxony's Switzerland") such an unforgettable experience, the fabulous castles for example. Hohnstein Castle (14th century) was once considered impregnable and was therefore a favoured seat of robber barons. – The Bastei Rock is part of the oldest nature reserve in the Sächsische Schweiz. From the 305-metre-high viewing platform there is a marvellous view out over the majestic Elbe as it meanders its way through the countryside.

La visite de la Suisse saxonne avec ses rochers abrupts laisse un souvenir inoubliable au visiteur. Les magnifiques châteaux et les places fortifiées attirent également de nombreux touristes. Le château Hohnstein (XIIIe siècle) – réputé imprenable – était utilisé pour s'abriter des chevaliers brigands. – Le Basteifelsen appartient à la région la plus vieille de la Suisse Saxonne. Du plateau situé à 305 mètres, on dispose d' une vue merveilleuse sur l'Elbe coulant majestueusement à travers le paysage.

Doch die Erde ruhte nicht und hob die Region von den Rändern her in mehreren Schüben an. So entstanden Risse und Spalten im mürben Sandstein. Die Flüsse verwandelten sich in reißende Gewässer, die sich viele hundert Meter tief in den Sandstein gruben. Chemische Prozesse sorgten für weitere Veränderungen. So entstand das Felsenriff der „Bastei". Auf 193 Metern spannt sich die Felsenformation der Basteibrücke hinüber zu der Felsenburg Neurathen, einer mittelalterliche Burgruine. Von hier oben hat man einen grandiosen Blick über die Landschaft des Elbtales mit den mächtigen Tafelbergen.

The earth was never still – it delivered a series of mighty thrusts, raising the entire area and creating fissures and crevices in the crumbling sandstone. Rivers were transformed into raging torrents which carved their way deep into the sandstone. Chemical reactions produced other changes. This released minerals such as sulphur and phosphate from the stone, which reacted to become sulphuric acid and ammonia. Where it emerged salt crystals developed, which crumbled and destroyed the sandstone.

La terre gronda et provoqua des soulèvements de terrain. Des failles et des fissures se produisirent dans le grès friable. Les cours d'eau se transformèrent en torrents impétueux qui creusèrent dans le grès des lits profonds de centaines de mètres. Des procédés chimiques achevèrent les transformations. C'est ainsi que fut formée la « Bastei ». Sur 193 mètres, la formation rocheuse du pont de la Bastei s'étend jusqu'à la ruine de l'ancienne forteresse médiévale de Neurathen. Depuis cet endroit, on découvre une vue grandiose sur la vallée de l'Elbe avec les tables de roc massives.

Die das Elbtal beherrschende Festung Königstein ist eine der bedeutendsten Festungsanlagen Europas. Als böhmische Königsburg wurde sie 1241 erstmals erwähnt, Mitte des 15. Jh. kam sie zur Mark Meißen und vom 16. bis zum 19. Jh. baute man die Burg Königstein zur Festung aus, die – militärisch uneinnehmbar – bis heute unzerstört und daher vollständig erhalten geblieben ist. Die Festung Königstein diente dem Dresdner Hof in Krisenzeiten als Zufluchtstätte und zur Unterbringung der Staatsschätze und Kunstsammlungen, sowie als Szenerie für höfische Feste.

Königstein Fortress, one of the most important fortifications in Europe, dominates the Elbe valley. In 1241 it belonged to Bohemia as a royal castle; in the middle of the 15th century it belonged to Meissen; between the 16th and 19th centuries it was developed into the fortress now known as Königstein Castle. It remained undamaged because it was militarily impregnable and so stands intact to this day. The Königstein Fortress was a place of refuge for the Dresden court in times of crisis, a place of safekeeping for state treasures and collections and a favourite venue for royal feasts.

Dominant la vallée de l'Elbe, le « Königstein » est une des plus imposantes forteresses d'Europe. Mentionné pour la première fois en 1241 comme château fort royal de Bohême, le Königstein appartint à la marche de Meissen à partir du milieu du XVe siècle et était transformé en citadelle imprenable entre les XVIe et XIXe siècles. De fait, assiégé plusieurs fois, le château n'a jamais été pris et est entièrement conservé jusqu'à aujourd'hui. Dans les temps de crise, il servait de refuge à la cour de Dresde, aux humains, au trésor de l'État et aux collections d'art.

Rousseau verkündete das Ideal der Schweiz, die sich von den Schrecken erregenden Felsbarrieren zu „Arkadien der Seele und einem Hort der Freiheit" wandelte. Die erste „Schweiz" auf deutschen Boden erfanden zwei Schweizer Künstler: der Porträtmaler Anton Graff und der Kupferstecher Adrian Zingg. Ab dem Sommer 1766 durchwanderten sie mit ihren Skizzenblöcken das kaum dreißig Mal vierzig Kilometer große Elbsandsteingebirge. Sie erkannten die Ähnlichkeiten mit ihrer Heimat; damit war die Bezeichnung Sächsische Schweiz geboren.

Rousseau extolled the virtues of Switzerland which had transformed itself into an "arcadia for the soul and stronghold of liberty". Two Swiss artists, the portrait painter Anton Graff and the engraver Adrian Zingg, "discovered" this "Switzerland" on German soil. Since the summer of 1766 they wandered with their sketchpads through the then barely 30 by 40 kilometre area of the Elbe sandstone mountains and saw similarities with their homeland. This is how it came to be known as "Saxon Switzerland".

Le philosophe vantait l'idéal de la Suisse qui avait mentalement franchi les barrières menaçantes de ses montagnes pour devenir un lieu d'ouverture et de liberté. Deux artistes suisses ont « inventé » la première « Suisse » allemande : le peintre de portraits Anton Graff et le graveur sur cuivre Adrian Zingg. Durant l'été 1766, ils parcoururent, bloc à dessin dans la main, la région de l' Elbsandsteingebirge d'à peine 30 kilomètres sur quarante. Ils découvrirent des similarités avec les paysages de leur pays, C'est ainsi que cette contrée fut dénommée « Sächsische Schweiz ».

SÄCHSISCHE SCHWEIZ, Bad Schandau
Saxon Switzerland, Bad Schandau · Sächsische Schweiz, Bad Schandau

1730 erkannte der Pirnaer Arzt Dr. Cadner die gesundheitsfördernde Wirkung eines Wassers, das hinter dem malerisch an der Elbe gelegenen Bad Schandau im Kirnitzschtal entspringt. Auf dem Elbweg wurde das eisenhaltige Heilwasser nach Dresden gebracht und verkauft. Erst im 19. Jahrhundert kamen die Schandauer auf die Idee, das Wasser nicht nur zu „exportieren", sondern damit auch Kur- und Badegäste in ihren Ort zu locken. Ein Badehaus wurde gebaut und die Gäste strömten nur so in den romantischen Ort. Einer der berühmtesten Patienten war der Dichter Theodor Körner.

Mit unserem Ausflug nach Meißen, Pirna, Moritzburg und in die Sächsische Schweiz haben wir Dresden verlassen, denn nicht nur die Elbmetropole allein ist ein Besuch wert, auch ihr malerisches Umfeld macht eine Reise in sächsische Gefilde zu einem unvergesslichen Erlebnis. Eine Reise mit dem Dampfer nach Bad Schandau, ein Besuch der Felsenbühne Rathen, eine Wanderung durch das Elbsandsteingebirge oder eine abenteuerliche Kahnfahrt durch die wildromantische Kirnitzschklamm vermitteln Eindrücke von nachhaltig prägender Wirkung. Zahlreiche Künstler hat es immer wieder nach Dresden und Umgebung gelockt. Auf sie wirkte das Elbland mit seinen Städten und Dörfern so inspirierend, dass sie ihre Eindrücke umgehend künstlerisch umsetzen mussten. Wir wissen das Ergebnis zu schätzen.

In 1730, Dr Cadner from Pirna recognised the health-giving properties of the water that rose from a spring in the Kirnitzsch Valley beyond Bad Schandau, situated so picturesquely on the Elbe. The water, rich in iron, was shipped to Dresden via the Elbe and sold. It was not until the 19th century that the inhabitants of Schandau had the idea of not just "exporting" the water but also using it to attract spa visitors. A bathhouse was built, and people flocked to this romantic town. One of the most famous patients was the poet Theodor Körner.

With our excursion to Meissen, Pirna, Moritzburg and the Sächsische Schweiz we have left Dresden; for it is not just the metropolis on the Elbe that is worth a visit. The picturesque surroundings, too, make a journey to Saxony an unforgettable experience. A steamer trip to Bad Schandau, a visit to the open-air theatre at Rathen, a ramble through the sandstone mountains or an exciting boat trip through the wildly romantic Kirnitzschklamm create lasting memories. And if you take a peek now and then at a guidebook, conjure up the pictures and the music created in this region, you will have an inkling of what it was that drew so many artists to Dresden and its surroundings over and over again. The Elbe country with its towns and villages, lined up like pearls, was so inspirational that many had to turn their impressions into works of art there and then. The results will always be appreciated.

En 1730, le médecin originaire de Pirna, le docteur Cadner, découvrit les propriétés thérapeutiques d'une source jaillissant à Bad Schandau, situé sur l'Elbe dans la vallée de la Kirnitzsch. Cette eau ferrugineuse était acheminée par voie fluviale et vendue à Dresde. C'est seulement au XIXe siècle que les habitants de Schandau eurent l'idée d'attirer des curistes au lieu « d'exporter » cette précieuse eau. On construisit des termes et les curistes affluèrent dans ce lieu idyllique.

Avec notre excursion à Meissen, Pirna, Moritzburg et dans la Suisse saxonne nous avons donc quitté Dresde pour visiter ses environs pittoresques. Une excursion en bateau vers Bad Schandau, une visite au théâtre de plein air à Rathen, une randonnée dans les Montagnes de grès de l'Elbe ou une descente en canoë des gorges de la Kirnitzsch laissent de merveilleux souvenirs. Le visiteur qui garde présent à l'esprit des œuvres littéraires, musicales ou encore des tableaux créés dans cette région comprendra sûrement ce qui a attiré de nombreux artistes à Dresde et dans ses environs. La région de l'Elbe avec ses villes et ses villages les a si fortement inspirés que leur création artistique en a été sublimée.

ZIETHEN-PANORAMA VERLAG
D-53902 Bad Münstereifel · Flurweg 15
www.ziethen-panoramaverlag.de

Überarbeitete und aktualisierte Auflage 2013

Redaktion und Gestaltung: Horst Ziethen
Einleitungstext – Christine Gräfin von Brühl, und Bildtexte der Seiten: 10, 11, 18, 19, 22-24, 26-28, 31, 32, 36, 43, 48, 53, 61, 71, 76, 77, 79, 82, 84, 85, 86, 91, Nachsatz
sonstige Bildtexte: Michael Bartsch 25, 33, 34, 37, 38, 40 alle anderen Bildtexte stammen aus der Redaktion des Ziethen-Panorama Verlages/AZ
Englische Übersetzung: John Stevens, Dr. Gwendolen Webster.
Französische Übersetzung: Maryse Quézel, France Varry

Produktion: Ziethen-Panorama Verlag GmbH

Printed in Germany

ISBN 978-3-929932-67-6 Sprachenfassung Deutsch-Englisch-Französisch
ISBN 978-3-934328-88-4 Sprachenfassung Tcheschisch-Polnisch-Russisch

BILDNACHWEIS / TABLE OF ILLUSTRATIONS / TABLE DES ILLUSTRATIONS

Seiten:
Fridmar Damm: 18, 21, 36, 37, 38c, 48e, 49b, 54, 56a, 61b, 64, 69, 72, 79, 81b, 83, 85, 88, 95
Staatlichen Kunstsammlung, Dresden Gemäldegalerie Alte Meister: 8/9, 22, 23, 24, /Porzellansammlung: 26, 27, 28, 76, 77 / Mathematisch-Pysikalischer Salon: 30 / Rüstkammer: 32, 33 / Grünes Gewölbe: 42c, 43, 44(2), 45
Horst Ziethen: 11, 14, 19, 25, 29, 31, 34, 40, 47, 48a,c,d, 49a, 52, 56b, 57, 59, 62, 65, 71(2)
Bildarchiv ZPV Horst Ziethen Titel u. Rücktitel: 10, 39, 50, 87, 89, 90, 94, 96
BA Punctum / P. Franke, W. Krammisch, B. Kober, Blume: 7, 12a, 13, 20, 41, 53, 58, 91, 92, 93,
Bildagentur Laif/M. Kirschner: 35, 51, 61a, 74, 82, 84,
Jürgen Hohmuth/zeitort.de: 38d, 63, 70
Schloss Albrechtsberg: 66, 67, 68
HB-Verlag/Dumont Bildarchiv: 16, 46, 55
Karl Kinne: 48b, 81a
J. v. Oheimb: 12b · Nicola/Super Illu: 15 · Brandt David: 17, 42 a+b · Foto Lohse: 38a ·
Rainer Weisflog: 38b · F1online: 60 · Merian Kartographie: 73 · Deutsche Fotothek/Reineke: 75 ·
Rodrun/Knöll: 78 · Das Luftbildarchiv Wennigsen: 80 · Achim Keiper: 86

Vorsatzseiten: SLUB Dresden/Abt. Deutsche Fotothek
Nachsatzseiten: Anitquariat Gebr. Haas OHG, Email: antiquariat.haas@t-online.de